a p

NARRATORI ITALIANI

collaboratore
e amico
prezioso -

Marco

MARCO VARVELLO
LONDRA ANNI VENTI

ROMANZO
BOMPIANI

www.giunti.it
www.bompiani.it

© 2022 Giunti Editore S.p.A. / Bompiani
Via Bolognese 165 – 50139 Firenze – Italia
Via G.B. Pirelli 30 – 20124 Milano – Italia

ISBN 978-88-301-1862-1

Prima edizione: aprile 2022

A Filo

*"There are many victories
worse than a defeat."*

"Ci sono molte vittorie
peggiori di una sconfitta."
George Eliot

1

Le ascelle gli esplosero di sudore, come quando da ragazzo era passato finalmente all'età adulta. Strano ricordo. In un flash. Associazione mentale assurda, viste le circostanze. Aveva notato ombre muoversi dietro un'auto ferma sul ciglio della strada. Lo sportello del guidatore era spalancato. Non si era accorto invece dell'uomo armato e incappucciato che da dietro si era avvicinato alla motrice del suo TIR. Dal finestrino semiaperto George si sentì puntare una pistola alla tempia. Nessun rumore, nessuna parola. Solo il cuore che batteva a mille. Soltanto il sudore che gli inumidiva il maglione. Le luci dell'enorme piazzale del porto di Belfast erano a poche centinaia di metri. La sbarra dell'ingresso ancora non si vedeva, nascosta dietro una curva, in mezzo ai depositi industriali. Gli agenti di guardia non potevano aver notato il suo camion in arrivo. Non osò muovere la testa. Sentiva il freddo della canna dell'arma. Gli occhi dell'incappucciato lo scrutavano da due sottili fessure. L'uomo girava nervosamente la testa. A scatti, cercava di tenere sotto controllo lui e insieme di seguire i movimenti dei complici.

Nessuno in vista. Nessuna luce di veicoli in arrivo. Solo il suo camion e quell'auto con la portiera spalancata ferma a poca distanza. Il ringhio del vento incattivito dalla vicinanza del mare. La luna a tratti coperta da nuvole veloci. Interminabili, eterni secondi. Più durava l'attesa più rischi correva.

"*I am on your side,*" disse George lentamente. Sorpreso con se stesso nell'articolare quelle parole. L'uomo incappucciato non rispose. Solo gli premette più forte la pistola alla testa. I complici attorno all'automobile avevano nel frattempo tirato qualcuno fuori dalla vettura. Lo trascinavano lungo la banchina del ciglio stradale. Un corpo inerte. Qualcuno, vivo o morto. Lo sollevarono. Procedevano curvi verso un furgone che solo in quel momento George vide nella tenue luminosità notturna. Luci spente. A illuminare la strada solo i fari dell'auto ferma. Un'altra figura scura rovistava all'interno.

"Sto dalla vostra parte," ripeté George. Il suo cervello vagava in cerca di una via d'uscita. Scandagliava in frenetica sequenza tutte le opzioni possibili. Non c'era margine di fuga, nessuna possibilità. Sarebbe bastata una pallottola per ucciderlo. Non poteva sperare di essere lasciato libero. Era un testimone imprevisto, un testimone da eliminare.

"Spegni il cellulare," gli intimò l'uomo. George obbedì. "Indietro. Torna indietro," gli disse in tono perentorio, rimanendo sul predellino, aggrappato all'asta dello specchietto. La pistola era sempre puntata. Capì al volo. Il motore era sempre acceso. Ingranò la marcia. C'era spazio sufficiente attorno alla strada. Un ampio slargo di terra battuta consentiva l'inversione a U. Solo quando il camion fu sulla corsia nella direzione opposta l'uomo armato saltò giù dal gradino della portiera. Lo seguì con la pistola puntata mentre si allontanava. Dallo specchietto retrovisore George lo vide scomparire nella macchia di arbusti, tra i capannoni. Seconda, terza, aveva innescato automaticamente le marce, imboccando la prima rotonda senza nemmeno vederla. Il motore ronfava tranquillo come sempre e quel rumore così familiare allentò la tensione dei muscoli, delle dita aggrappate al volante. Sul rettilineo George tornò a respirare con meno affanno.

Ricominciò a pensare. Sarebbe bastata mezz'ora. Qualcuno nel frattempo avrebbe dato l'allarme. Se la polizia non avesse subito bloccato l'accesso al porto avrebbe fatto in tempo a prendere il traghetto delle 22.30 per Liverpool, come previsto. Non avrebbe lasciato tracce.

Tormentò con la mano sinistra il cellulare ancora spento. Avrebbe dovuto dare l'allarme. Doveva dare l'allarme, gli ripeteva il sangue che pulsava alle tempie. No, non poteva. Non voleva essere coinvolto. Interrogatori, sopralluoghi, giorni di lavoro persi. E soprattutto si sentiva davvero dalla loro parte. Percorse ancora un tratto di strada allontanandosi dal terminal, ma non poteva allungare troppo. Il chilometraggio in più sul tachigrafo del camion avrebbe destato sospetti. C'era una piazzola sulla corsia opposta. Al primo svincolo dell'autostrada uscì e tornò indietro. Si fermò nell'area di sosta che aveva adocchiato. Ancora nessun segno di allarme. Se si fosse avvicinata qualche pattuglia avrebbe potuto fingere di dormire. Poco realistico, a due passi dal porto, ma un colpo di sonno può capitare ovunque. Aveva un certo margine di tempo per il traghetto. Spense il motore. Cessò ogni rumore.

Era svuotato. Le braccia appoggiate al grande volante, lo sguardo perso nella campagna buia. Non pensava a nulla. Reagiva con torpore all'animalesca consapevolezza di essersela cavata. Il sudore si era fermato. Il maglione zuppo e freddo. Giocò di nuovo con il telefonino, indeciso. Lo lasciò spento. George era ancora assopito e inerte quando le prime sirene lo riscossero. Le sentiva in lontananza. Si avvicinavano. Un paio di auto della polizia gli sfrecciarono a fianco.

Guardò l'orologio. Il tempo era passato senza che ne avesse percezione. Rimise in moto e ritornò verso il porto. Le luci di Belfast brillavano all'orizzonte. Una pattuglia faceva ora defluire il traffico a senso alternato mentre altri poliziotti si muovevano nella brughiera. A George si ripresentò il film già visto: l'auto sul ciglio della strada era una Mercedes, protetta da nastro giallo: *Crime scene – Do not enter.* La scientifica non era ancora arrivata. Solo due agenti facevano i primi accertamenti, aspettando istruzioni. Non lo fermarono. Una fila di camion si era già formata davanti a lui, altri continuavano ad arrivare. Tutti procedevano lentamente, a singhiozzo. *Stop and go* a passo d'uomo. Riaccese il cellulare.

L'orario dei traghetti serali era quello più frequentato dal traffico commerciale. Zero controlli doganali per rientrare in Inghilterra. Fosse stato invece in arrivo a Belfast avrebbe dovuto consegnare molte più bolle e documenti di viaggio, per poi passare ai controlli veterinari, come per andare all'estero. Per fortuna in uscita non erano richiesti. Sbarra alzata. L'agente all'ingresso si limitò a un rapido sguardo. Aveva altro per la testa.

"Cosa è successo?" chiese George, più per fingere curiosità che per informarsi. Risposta sbrigativa: "È scomparso un addetto alla dogana." Buttata lì assieme al gesto imperioso che indicava la rampa verso cui il camion doveva procedere. Una frazione di secondo. Nemmeno il tempo di affettare una falsa sorpresa. Il portellone era aperto. L'enorme ventre del traghetto con la scritta *Stena Line* lo attendeva.

2

Il cadavere non era più lì. Niente sangue, tutto era stato ripulito. Ma rientrare in quella stanza all'apparenza in ordine le faceva comunque venire le vertigini. Un senso di sgomento. Davvero l'aveva ucciso? Com'era stato possibile? Non si ricordava. Ma quello che la memoria aveva cancellato lasciava ancora tracce nella coscienza. Un peso indefinito ma reale. Opprimente. "Come ho fatto... Perché?" Sentiva una profonda sofferenza, eppure non poteva essere senso di colpa: se era arrivata a uccidere doveva pur esserci un motivo. Ma non lo ricordava. Non ricordava nulla. Un vuoto infinito la risucchiava. Un buco nero che le toglieva lucidità e ragionevolezza. "Non posso aver ucciso." Eppure sì. In un angolo di sé lo sapeva con certezza. Non erano ancora venuti ad arrestarla. Ma che non fosse in manette era irrilevante. Doveva andarsene. Fuggire.

Indossò tuta e trainer. Prese a correre su un sentiero in salita, bianco di polvere. Incandescente sotto il sole. Correva sempre più veloce. La striscia di luce ai suoi piedi la sosteneva come un tapis roulant puntato verso il cielo. Più correva, più saliva. I battiti del cuore ritmavano il tumulto dell'anima. Più correva, più sentiva un peso trascinarla verso il basso, di nuovo in fondo alla discesa. Era sfinita. Mai sarebbe arrivata in cima. Mai si sarebbe liberata del sangue che cominciava a macchiarle la tuta. Piccole gocce stillavano dal cielo. Guardò attonita la pioggia rossa cadere sempre più fitta. Accelerò di nuovo il passo. Il respiro ansimante. Sempre più veloce. Sempre più corto. Si guardò le mani, cercò di pulirsele sul volto. Un passo la tradì. Cadde rovinosamente.

Con un sussulto si ritrovò seduta sul letto, ansimante.

Ancora lo stesso incubo. La tormentava da mesi. A intervalli regolari. Dopo qualche giorno di pausa ritornava all'improvviso. Insistente. Con un ritmo inconscio che non riusciva a decifrare. Aveva pensato di ricorrere a uno psicologo ma sapeva che non sarebbe stato come andare dal medico, una ricetta e via. Non aveva tempo per imbarcarsi in un percorso tortuoso, che poteva durare anni. Così si teneva quel sonno tormentato. Agitato da un florilegio di preoccupazioni. L'incubo aveva il vantaggio di non essere vero. Invece verissimo era lo stress al giornale. La competizione fra colleghi. La sua vita di donna orientata alla carriera. Single o quasi, almeno ufficialmente.

"No, non ho ucciso nessuno... ovviamente." Si riscosse. Forse accumulava sensi di colpa per i cadaveri professionali che aveva collezionato in una decina d'anni di brillante scalata professionale. "Idea idiota, con tutti gli squali che ci sono in giro," pensò Allegra anche quella notte, mentre ormai svegllissima riannodava le fila di pensieri finalmente razionali. Sapeva per esperienza che se una donna vuole far riconoscere il proprio valore e mostrare che è meglio di tanti uomini deve tirar fuori gli artigli. Il *glass ceiling*, tanto più in un giornale tradizionalista come il *Times*, non era certo scomparso. Trasparente, limpido come cristallo, ma pur sempre un limite rigido, quasi impenetrabile. Aveva dovuto difendersi e anche aggredire per farsi strada. Dimostrare di essere la numero uno. Ancora dopo anni, sempre sotto esame. Sempre sotto stress.

Eppure non poteva essere solo quello. Chissà quali altri lutti emotivi stava spurgando negli incubi. Erano comunque una forma di liberazione: meglio un brutto sogno che altre nevrosi. L'incubo però non si cancellava subito al risveglio. Pesava ancora.

L'autoaccusa continuava implacabile. Una cisti dolorosa nella coscienza. Presenza ingombrante, opprimente. Altro che "vuoto interiore", pensò.

Fuori dalla finestra era ancora buio. Le quattro del mattino, diceva il cellulare, acceso come sempre. Allegra si alzò. Una felpa sopra il pigiama la aiutò a scacciare i brividi di freddo. Aveva sudato. La corsa del sogno le sembrava ancora reale. Stanchezza assonnata. Si avvicinò alla finestra. Una grande vetrata, privilegio del condominio moderno dove si era trasferita da poco. Illuminate dal basso dalle luci di Londra, le nuvole erano lo specchio rovesciato dell'irrequieto scintillio della metropoli. Le quattro torri di quella che era stata la centrale elettrica di Battersea dominavano la scena. Fari rossi in cima alle altissime gru segnalavano i cantieri aperti. Uno spicchio di Tamigi si intravedeva tra una mole e l'altra dei colossi ancora incompiuti. Barlumi chiari, riflesso sull'acqua dei lampioni accesi. Riva meridionale del grande fiume che poco più a ovest, tra Hammersmith e Putney, aveva cominciato il suo placido percorso nel cuore della metropoli. Dove prima si snodavano solo ferrovie e magazzini industriali si moltiplicavano i nuovi progetti urbanistici. Edilizia residenziale di lusso avrebbe riempito in breve ogni spazio vuoto. Quello di Allegra era uno dei pochi palazzi già abitati.

Un bicchiere d'acqua. Poi tornò a letto. Scalza cominciava a sentire di nuovo freddo. Diede un'occhiata alle notizie sullo smartphone, più per abitudine che per necessità.

"Belfast: rapito dirigente delle dogane."

Il flash rosso delle *Breaking News* stava oscurando anche gli aggiornamenti sulla pandemia, che da settimane sembrava in lenta ritirata. Vaccini e lockdown stavano portando il Paese fuori dall'emergenza. Quel rapimento apriva un altro fronte d'informazione. Scorse rapida il testo del flash dall'Irlanda del Nord. Pochissime notizie. Era successo in tarda serata.

D'istinto fece per premere il numero di George, in memoria sul cellulare. Si fermò in tempo. A quell'ora lui stava sicuramente dormendo. Doveva essere sul traghetto per Liverpool. Otto ore di traversata. Otto ore di riposo, se non di sonno. Eppure, un presentimento. Doveva partire proprio dal porto di Belfast. Secondo BBC News l'attacco era avvenuto col buio. Doveva essere successo pressappoco all'ora del suo passaggio. Allegra cominciò a tormentarsi le unghie. Nessun messaggio, nessuna chiamata. Deformazione professionale, quel voler sempre sapere come stanno le cose. Si decise per un messaggino esplorativo.

"*Hi*. Tutto ok? Hai visto le news?" Interminabili secondi. Se dormiva, avrebbe ignorato la notifica. Whatsapp diceva che George era stato attivo fino alle 23.30.

Ping. Lo schermo si riaccese.

Sollievo.

"Tutto ok. Sono passato poco dopo."

"Casino?" chiese Allegra.

"Sì, ma sono passato senza tante storie. *Go to sleep.*"

"*And you. Kisses.*" George non era tipo da emoji. E nemmeno a lei andava di fare l'adolescente innamorata. Adolescente non lo era da un pezzo. Innamorata? Se lo chiedeva in continuazione. Ma solo quando non erano insieme, perché ogni volta che si trovava tra le sue braccia i dubbi parevano sciogliersi e lei si abbandonava alla continua sorpresa di quella storia improbabile. George il camionista. Rude a letto ma capace di una dolcezza onesta quando la guardava e sorrideva. Forse incredulo della sua stessa fortuna, pensava lei, sorridendo a sua volta. Con nessuno si era mai spinta così a fondo. Senza paletti. Senza freni. Lui non era certo un intellettuale. Ma le piaceva quel suo modo deciso, netto di esprimere giudizi, di dare opinioni. Schietto, anche quando non erano d'accordo. Com'era possibile che si frequentassero ormai da oltre un anno? Ma, poi, importava davvero? Con lui si sentiva bene, e tanto bastava per farle dimenticare quanto diverse fossero le loro vite passate. Quanto distanti le loro strade fino all'anno prima. Prima della pandemia. Prima che tutto accadesse.

La luminosità del piccolo schermo svanì automaticamente, lasciando Allegra alle poche ore di sonno che le rimanevano.

3

La *Spoon River* dei taxi neri era su una collinetta sbucciata, appena oltre il grande raccordo anulare della M25. Gliel'avevano indicata i colleghi. Sapeva cosa aspettarsi, un cimitero per i loro veicoli. Ma non si era certo immaginato che fosse così grande. Imboccata l'ultima fangosa strada laterale, svoltata una curva, il colpo d'occhio era stato impressionante. L'intero fianco dell'altura era occupato dai relitti. Allineati a centinaia. Ordinatamente in fila.

"*One more?*" Ancora uno? gli aveva chiesto il guardiano all'ingresso, un ometto tutto barba. Una constatazione, più che una domanda. "C'è spazio in alto a destra," gli indicò. "Porta i documenti quando torni da me..."

La scena era avvenuta un paio d'anni prima. Gli ritornò in mente quella notte, nel dormiveglia tormentato della traversata verso Liverpool. Era entrato in quel cimitero guidando lento e funereo. Rispettoso, come se stesse davvero percorrendo un viale costellato di tombe. I taxi parcheggiati per linee orizzontali, ben allineati, estremo omaggio degli autisti ai loro mezzi ormai defunti. Alcuni infilati perpendicolari negli spazi rimasti. Veicoli tutti neri, ad aumentare l'impressione di un'ultima dimora. I pochi di colore viola o bianchi sembravano vedove, silenti accompagnatrici del feretro. Rimaste per condividerne il lutto.

Avrebbero potuto raccontare infinite storie, quei taxi. Ora giacevano invece abbandonati, le gomme sgonfie, gli sguardi vuoti dei fanali infranti. Passando sulla stradina di fango era parso a George di ricevere anche lui l'onore delle armi prima di unirsi ai caduti di quella guerra ormai persa. Aveva puntato dove gli era stato indicato. L'area recintata si estendeva molto più in su, allungandosi fin sull'altro lato della collina, dove alla fine aveva trovato un posto libero. Lentamente, aveva smontato il tassametro e il lettore per le carte di credito: anche quelli andavano restituiti assieme ai documenti del taxi per chiederne la rottamazione.

Dopo anni e anni di guida a Londra, George era stato alla fine costretto ad arrendersi. Come molti altri *Cabbies* aveva prima cercato di combattere contro la concorrenza degli autisti da App: Uber, Kabbee, Kapten, Bolt. In poco tempo ne erano spuntati tanti. Troppi. Senza regole. Servi dell'algoritmo che li chiama a raccolta e li indirizza ai clienti.

Bloody Paki, si dicevano tra colleghi durante le soste in attesa di passeggeri sempre più rari. La parte per il tutto. Sbrigativo chiamare pakistani tutti i guidatori dei nuovi tipi di autonoleggio. In effetti erano quasi sempre stranieri. Ma arrivavano da mezzo mondo, definirli Paki era limitativo. Molti dall'Europa dell'Est, grazie alla libera circolazione tra i Paesi dell'Unione. "*And bloody Europe,*" ripeteva Frank, l'amico con cui condivideva le attese nell'area di sosta alla stazione di King's Cross.

"Arrivano, non conoscono nemmeno i quartieri di Londra. Non dico le strade..." gli faceva eco George. "Si mettono lo stesso a portare gente. A fare il nostro lavoro." Chiamati e pagati solo con una notifica. Niente permessi, niente controlli, nessuna sicurezza. "Un'altra ragazza violentata l'altra notte," ci metteva il carico Frank. "Così imparano a fidarsi."

George ripensava alle sue, di notti, tanti anni prima, a studiare per *The Knowledge*. L'esame di abilitazione per la guida di un Black Cab era notoriamente durissimo, tanto da essersi guadagnato quel nomignolo: "la Conoscenza". Erano persino stati fatti studi sui taxisti londinesi: era stato dimostrato come il mandare a memoria l'intero stradario della capitale avesse il potere di rafforzare le capacità cognitive degli autisti. Teste raffinate. Non come quei nuovi arrivati, analfabeti della lingua e ignoranti della città. George ripensava agli anni di ansia per far tornare i conti e ripagare man mano il costo della licenza e del leasing della vettura. Almeno, allora, la città girava a meraviglia, proprio come il suo tassametro. Le attese erano ridotte al minimo. Solo alle stazioni e agli aeroporti duravano un po' di più, quando andava a caccia di un tragitto lungo e di una tariffa più alta. Ma appena riaccendeva la scritta luminosa sul tetto subito una mano si levava dal ciglio della strada. Un nuovo cliente. Una nuova corsa.

E in centro andava in scena il gran ballo dei taxi neri. Sciamavano incrociandosi eleganti. Le giravolte improvvise. Gli scarti che ad altri guidatori sarebbero costati la patente. Le inversioni a 180 gradi con un dito, tanto docile era il volante e ampio il raggio di sterzo del fedele veicolo. Prodotto dalla *London Taxi Company*, costruito per la città. Abitacolo generoso per ospitare fino a sei passeggeri. Comodamente seduti in alto, senza doversi calare sui sedili come nelle auto normali. Dimensioni abbondanti, ma mezzi agili come furetti per sgusciare tra piste ciclabili e corsie preferenziali. I re di Londra, o almeno del suo traffico.

"*Bloody Paki,*" ripeteva Frank. Lui e gli altri non ce l'avevano tanto con quei poveracci. Potevano anche farci quattro chiacchiere alle piazzole, condividendo l'attesa con i colleghi improvvisati. Ma non potevano perdonare al governo di aver lasciato degenerare le cose fino a quel punto. Polacchi, romeni, slovacchi o lituani arrivavano liberamente dal Continente. "*Grazie Europa, thank you very much!*" Si trasferivano in Inghilterra senza visti. Proprio quello dell'autista era uno dei primi mestieri per chi non aveva titoli di studio o qualifiche professionali. Bastava il navigatore sul cellulare. Porte aperte alla concorrenza sleale. Ed erano i tassisti ufficiali a pagarne le conseguenze. Sempre meno clienti, sempre meno soldi.

Una *Gig Economy* che impoveriva tutti. Persino i nuovi taxi elettrici, imponenti e silenziosi, non erano più inglesi. Da qualche anno la *London Taxi Company* era stata venduta a un gruppo cinese, che ovviamente aveva mantenuto il nome anche se di londinese ormai aveva ben poco. George in quegli anni aveva partecipato a molte proteste. Era stato in fila con gli altri tassisti tradizionali a bloccare il traffico davanti al Parlamento. Manifestazioni rumorose, finite in TV e sui giornali. Qualcosa avevano ottenuto. Non abbastanza. Ma non c'era stato soltanto il calo di lavoro a determinare la sua scelta di mollare. Dal suo scoramento trapelava anche altro.

Londra era sempre più soffocante.

Nel traffico i taxi neri non erano più i soli padroni, gli unici con licenza di trasgredire. Nugoli di ragazzi con lo scooter per le consegne a domicilio inondavano ormai ogni corsia. Sciami di ciclisti con elmetti e giubbotti sgargianti invadevano le strade. Di sera le loro luci abbaglianti erano puntate negli occhi degli avversari a quattro ruote. Mai prima così tante erano state le biciclette e le moto nella grande città. Sarà l'effetto serra, più caldo e meno pioggia, pensava George guardando quei corpi sportivi, inguainati in tute psichedeliche, che gli passavano a un soffio dagli specchietti. I ciclisti erano un esercito nemico con cui lottare corpo a corpo, corsia per corsia, semaforo per semaforo. Continuo scontro ravvicinato per spartirsi le strette strade della metropoli vittoriana.

Una guerra vera, che mieteva morti e feriti. Gli incidenti con scooter e biciclette si erano moltiplicati. Negli ultimi anni erano state quelle invadenti presenze a rendergli insopportabile la vita al volante. Le vie del centro ridotte in larghezza, sempre più occupate da piste ciclabili. Ristretto lo spazio per i veicoli persino nella centralissima Park Lane, che una volta era una sorta di autostrada per auto e bus. Si era trasformata invece in un perenne serpentone di veicoli a passo d'uomo. Le strade a senso unico riportate a doppio senso per rallentarne i flussi. I divieti di sosta sempre più opprimenti. Le piazzole per i taxi rimpicciolite o abolite del tutto, per far posto ai parcheggi per i residenti.

"*Bloody Paki,*" ripeteva Frank con uno sfogo impotente. E tutti i tassisti capivano bene cosa intendeva: "*Bloody Pakis, Indians, Europeans,*" ripeteva George. E *bloody* chi a Downing Street e alla Camera dei Comuni aveva permesso tutto questo.

Così non aveva avuto nessun rimpianto, George, quando alla fine era sceso a piedi dalla collina del cimitero di taxi. Aveva sbirciato all'interno di qualche abitacolo. La casa degli autisti, come era stata per lui in tanti anni. Sedili in vimini, più freschi d'estate. Il portabicchiere per il tè. Il portacellulare-navigatore a cui i più giovani autisti si erano ormai arresi per pigrizia. George ne aveva sempre fatto a meno, meglio la sua memoria di quella di un computer. Si fidava dell'esperienza per evitare ingorghi e intoppi. Conosceva ogni scorciatoia. Intuiva in anticipo ogni blocco causato da lavori stradali non segnalati. Tempi ormai finiti. Senza pentimenti.

Qualche settimana prima gli era stato offerto un posto come autista di camion. Non avrebbe mai cambiato al buio. Troppe bollette, l'affitto, gli alimenti per il figlio. Ma così sarebbe rimasto comunque nel settore e al volante. Import-export, contratti a incarico con una ditta di autotrasporti a Lewisham, a sud di Londra. Il lavoro c'era. E così quel giorno di due anni prima aveva restituito all'ometto barbuto gli strumenti tecnici per eventuali controlli sul veicolo. Compilato i documenti. Firmato la consegna. L'addetto aveva siglato la presa in carico. In pochi minuti George si era lasciato alle spalle un'intera vita lavorativa. Ma basta. Inutile farsi avvelenare l'anima. Le capacità che gli avevano permesso di guidare in città come un pilota automatico, tanto era preciso e puntuale, le avrebbe messe a frutto nel nuovo lavoro.

Meglio le merci delle persone, si era detto quel pomeriggio non troppo lontano nel tempo. Aveva raggiunto a piedi la stazione di Epping, linea rossa della metropolitana. Da Victoria avrebbe preso il treno per casa. Verso Bromley, al confine col Kent, a sud della megalopoli che l'aveva intrappolato in tutti quegli anni. Fosse stato un ragno, con il suo taxi avrebbe tessuto una tela fittissima sulla mappa della città. Avanti e indietro, giri e rigiri. Con il suo filo di Arianna aveva unito tutti i quartieri, tutte le zone, tutti i mondi diversi che vivono fianco a fianco nel suo reticolo. Aveva trasportato persone di ogni genere. Nevrotici uomini della finanza che lasciavano mance fuori misura. Poveracci che aspettavano solo di arrivare a destinazione per confessare di non avere soldi. Famiglie intere in gita. Ragazze in fuga da compagni violenti. Mariti in fuga da mogli insopportabili, oppure soltanto noiose. Aveva trasportato tutti, trovando sempre la direzione migliore, quella più rapida. Ma ormai non interessava più a nessuno.

Viaggiando in treno verso casa, guardando dal finestrino i primi spazi conquistati dalla campagna tra edifici e magazzini di periferia, George aveva avuto quel giorno un assaggio dei nuovi panorami che lo attendevano nei suoi viaggi da camionista.

Spazi aperti, orizzonti più ampi, destinazioni più lontane, traghetti verso l'Ulster compresi.

4

Anche gli ultimi anni di Allegra avevano visto cambiamenti radicali. Spesso, arrivando al giornale, le tornava in mente la prima volta in cui aveva premuto il pulsante del decimo piano. Lo stagista che era entrato con lei in ascensore, abituato a vederla salire insieme al lui fino al dodicesimo, l'aveva guardata con aria interrogativa. "Ogni tanto occorre cambiare," gli aveva detto lei, rispondendo al suo sguardo. Il ragazzo era chiaramente sconcertato: fermarsi al decimo significava ai suoi occhi restare "giù". Solo i piani più alti erano riservati all'Empireo, il *Times* quotidiano. Il *Sunday Times*, invece, con la redazione al decimo, era l'edizione domenicale. Prestigioso, ma non come il gemello che usciva tutti i giorni della settimana. Sei contro uno. Ritmo serrato contro passo da rotocalco. Allegra se l'era cavata alla fine con un *Byeeee* strascicato mentre la porta dell'ascensore si apriva. Non doveva certo giustificarsi con un ragazzino. Decimo piano e tanti saluti.

Un cenno al centralinista dietro il desk d'ingresso. Il computer acceso sulla sua nuova scrivania, nel grande open space della redazione del domenicale. Così anni prima era cominciata la sua nuova vita professionale.

Più difficile fu spiegarsi con Charlie, il collega con cui aveva condiviso la redazione esteri del *Times*. "È una grande vetrina," le dicevano tanti colleghi, invitandola alla pazienza. Ma per lei in quell'ufficio c'era stato solo lavoro redazionale. Titoli, didascalie, impaginazione. Qualche conferenza stampa al Foreign Office. Nessuna trasferta, nessun viaggio, nessuna avventura, esotica o meno. Per quelle c'erano gli inviati. Anche Charlie avrebbe preferito non essere relegato dietro lo schermo del computer, ma era un po' più giovane di lei, e doveva pensare al prestito universitario da restituire.

Forse con un altro caporedattore avrebbero potuto sperare di rompere prima o poi quella rigida divisione del lavoro. Certo non finché fosse rimasto al comando quel relitto di remote epoche giornalistiche che guidava l'ufficio: un tipo che vedeva la pensione ormai a distanza ravvicinata. Non voleva problemi né contemplava cambiamenti. Neppure l'esuberanza di Allegra, la sua risata trascinante e la sua preparazione sui temi internazionali erano bastate ad aprirle un varco. Sospettava che il caporedattore in fondo la temesse. Troppo intelligente. Troppo appariscente, Allegra. Grazie alle sue doti, intellettuali e non, brillava in modo fastidioso agli occhi di quel vecchio giornalista rassegnato a guidare senza scosse la redazione.

"Al *Sunday*? *Political correspondent?*" ripeté Charlie. Erano davanti alla macchinetta del caffè, installata strategicamente nell'angolo di corridoio più lontano da orecchie indiscrete.

"Non potevo dire di no," aggiunse lei con un sorriso. In realtà quello che le aveva garantito Kirsty Lane, la direttrice dell'edizione domenicale, non era chissà che, ma per lei era più che sufficiente. Certo, avrebbe rinunciato a diventare inviata all'estero, il sogno di tanti giovani giornalisti: reportage di guerra, vertici internazionali, cronache di colpi di stato e di carestie in giro per il mondo. Ma avrebbe finalmente lavorato sul campo, fuori dalla routine dell'ufficio. Da cronista e piano piano anche da commentatrice. "È una fase pazzesca per la politica interna," continuò Allegra. E non ci fu bisogno di aggiungere altro. Dopo il referendum sull'indipendenza scozzese, vinto dal governo, tutte le dinamiche del Paese si erano rimesse in moto. Forte del successo in Scozia, l'anno dopo Cameron era stato rieletto Premier. Durante la campagna elettorale si era azzardato a promettere un referendum sull'uscita dall'Unione europea in cambio dell'appoggio compatto del suo partito. E dovette poi mantenere la parola data. La consultazione popolare era stata indetta per giugno, di lì a poche settimane.

"Certo... il referendum Brexit," disse Charlie. "Almeno potrai girare il Paese e non restare chiusa qui dentro."

"Già, almeno quello," replicò Allegra che in realtà già pensava a come trasformare il nuovo incarico nella sua grande occasione. L'avrebbe colta al volo. In passato aveva condiviso molto con quel collega che era rimasto in fondo un ragazzo delle Midlands. Lei invece no. Erano partiti dallo stesso retroterra familiare e scolastico. Stessa regione di origine, il cuore pulsante dell'Inghilterra produttiva. Allegra Brewer, nata a Birmingham trentasei anni prima, educata in una *primary school* statale. Poteva essere quella una falsa partenza. Ma già dalle secondarie i genitori avevano capito che dovevano puntare tutti i loro investimenti sul futuro della figlia, brillante e determinata. Con molti sforzi le avevano garantito le scuole migliori. Prima il college privato a Edgbaston, vicino a casa. Poi il grande salto, la laurea in studi internazionali al Magdalene College di Oxford, un biglietto vincente per la lotteria della vita. L'avevano persino seguita a Londra. Un investimento azzeccato negli anni rampanti della City aveva garantito ai coniugi Brewer una tardiva vita agiata. Da Birmingham si erano trasferiti nell'elegante quartiere di Hampstead, che in quegli anni non aveva ancora prezzi proibitivi. Così avevano potuto stare vicino alla figlia anche quando lei aveva spiccato il volo.

Per l'amico Charlie, da studente universitario, era invece stata molto più dura. Solo un prestito d'onore gli aveva consentito l'iscrizione a quella facoltà da 30mila sterline l'anno. Dopo la laurea i suoi progetti erano così rimasti incatenati al debito con la banca. Una zavorra pesante. Per questo accettava di miglior grado la vita di redazione, scalpitando meno di Allegra. Aveva bisogno di quello stipendio.

"Adesso è tutto più chiaro," fu alla fine il commento dell'amico.

Allegra si sarebbe messa sulla corsia di sorpasso, puntando a una posizione scomoda ma non ancora presidiata.

"Sei stata così strana nelle ultime settimane... Non riuscivo più a seguirti, a capirti," aggiunse il collega con un tono di dolce rimprovero che tradiva tutto il suo affetto. E qualcosa di più. Anche lui aveva saputo che l'edizione domenicale era in cerca di redattori. E come tutti quanti agli Esteri del *Times* aveva notato le mosse dell'amica giornalista. Eppure fino ad allora non era stato capace di mettere in relazione le due cose.

Nella mole infinita di notizie che alluvionavano i loro computer, Allegra da qualche tempo aveva preso a segnalare al caporedattore solo quelle che mettevano in cattiva luce le autorità europee. La burocrazia di Bruxelles. La mano pesante della Banca centrale europea verso i Paesi Euro più indebitati. Le decisioni prese dal direttorio franco-tedesco e poi imposte alla Commissione. Il caporedattore la guardava, ringraziava freddamente e metteva le sue segnalazioni nel mazzo delle cose da valutare, quasi sempre anticamera del cestino. Non si capiva se era più infastidito dalle iniziative della sua vivace redattrice o dal loro taglio unilaterale. Erano certo notizie. Tutte notizie. Ma selezionate in una sola direzione. Charlie si era chiesto cosa significasse l'improvvisa passione antieuropea di Allegra. Aveva sondato, qualche volta, ottenendo solo risposte generiche. Ed ecco che il mosaico si ricomponeva davanti ai suoi occhi.

In vista di un referendum dall'esito totalmente incerto come quello su Brexit, i maggiori gruppi editoriali avevano interesse a coprirsi le spalle. Un piede da una parte e uno dall'altra. Se il *Times* quotidiano aveva una linea moderatamente europeista, favorevole al "Remain", sarebbe stata dunque l'edizione domenicale a sposare le istanze del "Leave", cioè il fronte opposto. Non era un segreto. Era una strategia ben precisa già adottata dal gruppo Mail. Quindi seguita a ruota anche da *News UK*, editore del *Times*, del *Sunday Times* e del tabloid *Sun*. Tutti pronti a cantare vittoria, qualunque risultato fosse uscito dalle urne. In redazione al *Times* si sapeva da settimane. Se ne discuteva senza troppa animosità. I giornalisti si sentivano comunque tutelati da una credibilità secolare che nemmeno il passaggio al gruppo di Rupert Murdoch nei primi anni ottanta aveva scalfito.

Charlie smise di mescolare lo zucchero con la bacchetta di legno. Soffiò pensieroso sulla superficie cremosa del cappuccino bollente. Guardò l'amica per capire se poteva essersi davvero convertita alla causa di Brexit. Non osò chiederglielo, ma dava per scontato che fosse altamente improbabile: erano sempre stati entrambi a loro agio nella loro *London bubble*. Solo l'ambizione aveva potuto spingerla a quella scelta.

Allegra fissò l'amico: intuiva i suoi pensieri. Era consapevole anche lei di far parte di un microcosmo liberale, londinese, progressista, aperto al mondo e all'Europa. Era cresciuta in un'Inghilterra che aveva fatto dell'immigrazione una risorsa a tutti i livelli, intellettuale e manuale. Una generazione, la loro, che aveva goduto della libera circolazione da e per tutti i Paesi europei. Gli scambi studenteschi del progetto Erasmus. I voli *low cost*. La collaborazione stretta tra università, istituzioni pubbliche e imprese private. Moltissime famiglie europee avevano un piede Oltremanica, con figli, parenti o amici. E viceversa. Londra era diventata quasi una città extraterritoriale. Un pezzo di mondo, non solo capitale britannica.

Già, l'ambizione. Lo spazio per una carriera rapida era infatti chiaramente dalla parte dello schieramento pro Brexit, quello non presidiata dai paladini della narrazione progressista e globalista. Era proprio in quello spazio che si poteva costruire una copertura giornalistica nuova, più legata alla gente che al palazzo, più alla campagna che a Londra. Più al cuore profondo della nostalgica Inghilterra che a quello multiculturale e agnostico delle grandi aree urbane. Allegra voleva uscire dalla nicchia, farsi un nome, salire a grandi passi la scala gerarchica. Meglio allora buttarsi dove giocavano in pochi. La mossa del cavallo. Scompaginare le carte. Giocare un'altra partita.

Le segnalazioni antieuropee erano state dunque un modo per farsi notare. La direttrice del domenicale aveva sparso la voce e cominciava a raccogliere segnali di disponibilità. Cercava cronisti d'assalto. Qualcuno pronto a sporcarsi le mani in provincia. Adatto a rompere la barriera che aveva fino ad allora separato gran parte del Paese dall'ecosistema chiuso che dominava la capitale. L'*Echo chamber* nei circoli londinesi rimandava sempre la stessa voce: meglio restare in Europa. Il *Sunday Times* voleva invece qualcuno che ascoltasse l'altra metà del Regno: *Better Leave*, meglio uscirne.

"Chapeau..." concluse Charlie ad alta voce. Si erano capiti. Allegra scoppiò nella sua risata assertiva e rassicurante. I bei denti candidi in mostra, le labbra carnose. Affondò lo sguardo nel bicchierone di carta velato da un filo di vapore del latte ancora bollente. Bevve un sorso, piano. "*Good luck,*" aveva aggiunto alla fine Charlie, conciliante. "Non perdiamoci di vista."

Allegra gli aveva scoccato sulla guancia un bacio perentorio, da sorella maggiore.

"Guarda che vado a stare solo al piano di sotto," gli rispose strizzando l'occhio.

5

"No Press allowed."
"We don't talk to journalists."

Era stato un uomo dai folti capelli rossi a sbarrarle subito la strada all'ingresso della sala dove il comizio stava per cominciare. Uno dei primi appuntamenti nella campagna verso il referendum Brexit. Il primo in assoluto nel nordest dell'Inghilterra, a Grimsby, porto industriale sul mare del Nord. Un'area che soffriva da tempo per la crisi del settore della pesca. Nigel Farage e un paio di politici locali quella sera erano attesi da una piccola folla, pronti a dire le parole giuste per indirizzare contro l'Unione europea il malcontento di tanti. Al primo rifiuto Allegra se n'era fatta una ragione. Aveva atteso pazientemente all'esterno la conclusione dell'incontro. Ma anche alla fine le decine di partecipanti uscirono velocemente dalla palazzina di mattoni rossi, a due passi dal mare e dal molo principale, senza fermarsi a parlare con lei.

Il copione si ripeté più e più volte in altri luoghi e in altre occasioni. Fin dall'inizio si era insomma trovata di fronte a un muro di diffidenza. La sua conversione professionale sulle tracce degli antieuropei non sarebbe stata una passeggiata.

"È una scommessa azzardata, quasi impossibile in così poco tempo prima del voto," pensava sconfortata dopo ogni tentativo fallito di rompere quel velo di omertà. Restava soltanto qualche settimana di campagna referendaria. In quei paesi, in quelle cittadine dell'Inghilterra provinciale inevitabilmente la sentivano diversa. Erano abituati e diffidenti verso i giornalisti di città, che quasi sempre non provavano nemmeno a capire le loro ragioni. Allegra doveva buttarsi rapidamente nella mischia, seguire quanti più appuntamenti, incontri e comizi avesse potuto.

Due erano i gruppi nati per sostenere l'uscita dall'Unione europea.

Il primo, "*Vote leave*", riuniva i conservatori come Boris Johnson e Michael Gove, entrambi esponenti politici di lunga data, entrambi con esperienze di governo locale e nazionale. Erano quelli più istituzionali. Allegra aveva tentato subito di mettersi in contatto con il coordinatore di questa campagna, Dominic Cummings, geniale ideologo, inventore dello slogan "*Get back control*" che divenne il cavallo di battaglia della propaganda contro Bruxelles. Ben presto aveva verificato che l'ostilità verso i giornalisti non era soltanto quella dei militanti. Anche Cummings l'aveva ignorata.

Gli antieuropeisti puri e duri, invece, facevano riferimento al secondo gruppo, "*Leave EU*". Estremisti e pittoreschi nel loro ostentare i simboli della vecchia Inghilterra, bombetta e bandiera. Erano stati arruolati tra le fila dello UKIP, il partito nazionalista inglese guidato da Farage, chiusi a riccio di fronte a taccuini e microfoni e dunque ancora più interessanti per la cronista che arrivava dalla capitale. Tutti da scoprire.

"*Go back to London, where you belong,*" era il complimento più gentile che riceveva, quando avvicinava i sostenitori di Brexit. Bastava il suo accento a tradirla. Doveva rintuzzare gli sguardi sospettosi dei dirigenti. Affrontare le risposte beffarde dei militanti in piazza.

"*Out*" e "*You are not welcome*" erano il benvenuto che le riservavano all'ingresso delle riunioni. "*Tell the truth,*" scrivi le cose vere!, le dicevano i più educati. Altri ricorrevano a minacce o quantomeno al dito medio alzato per ribadire il concetto. Stessa accoglienza, stesso trattamento da Scarborough a Lancaster, da Leeds a Lincoln. In tutto il Nord Inghilterra ostilità garantita.

Già in base all'accoglienza ricevuta Allegra avrebbe potuto disegnare la mappa delle aree dove Brexit aveva più probabilità di vincere. Difficile anche per lei, l'esuberante, espansiva giornalista del *Sunday Times*, guadagnare la fiducia di quelle persone che parlavano con gli accenti stretti del settentrione e la lingua sganghierata delle classi povere e meno istruite. Gente sgradevole già dall'aspetto. Quasi tutti uomini, pance da birra, magliette delle squadre di Premier League, tatuaggi ovunque. Bocche che da anni non incontravano un dentista.

Un'umanità così lontana dalla movida griffata dei ristoranti e dei Club di Londra a cui era abituata. Anni luce dallo snobismo intellettuale delle università e dei *Think tank* della capitale. Allegra dovette imparare in fretta a inventarsi le battute giuste, a ricorrere all'ironia tagliente, a rispondere ai commenti grevi con greve sarcasmo per aprirsi un varco in quel mondo a parte. Una mano gliela diede l'aspetto attraente. La chioma fulva, ricciuta, volutamente ribelle. Capelli da amazzone e portamento orgoglioso. Bella o non bella, certo non passava inosservata, tantomeno in un ambiente *machista* come quello.

La sua determinazione le aprì un varco anche nel giro dei leader. "*Here she is,*" presero a salutarla dopo qualche tempo. Quantomeno Farage e Johnson, i più sensibili al fascino femminile. Ma notavano pure che i suoi articoli non erano critici a priori. Facile fare ironia sulla retorica nazionalista di quelle marce e di quelle manifestazioni, come tanti suoi colleghi giornalisti. "*Let's get our country back,*" riprendiamoci il nostro Paese era lo slogan più urlato. Lei osservava quei raduni cercando di liberarsi dai preconcetti, con intelligenza. Ascoltava. Raccontava anche con partecipazione emotiva. Nelle regioni del grande malcontento, durante i volantinaggi dei militanti o in mezzo alla folla dei comizi,

Allegra alla fine riuscì ad attirare l'attenzione. Suscitava curiosità. A poco a poco incrinò la scorza di quella gente. Riuscì a farsi qualche amico, qualche confidente. I suoi articoli cominciarono a segnare la differenza. Erano reportage ben scritti e soprattutto nati sul campo, in mezzo a un popolo che si sentiva emarginato. Proprio a quel popolo il *Sunday Times* cominciava finalmente a dare voce.

Più contatti e amicizie si faceva per strada più ne perdeva al giornale. Quando rientrava in redazione, si accorgeva che molti le avevano tolto anche il saluto di cortesia. Altri si limitavano a ironici sorrisetti da corridoio o da ascensore. Per fare il brillante qualcuno cominciò a chiamarla *Bel Ami*. Ovviamente dietro le spalle. Qualcuno rivangò il modo in cui si era guadagnata il primo contratto a tempo pieno.

Spregiudicata lo era sempre stata. E così per farsi notare a inizio carriera aveva inventato quello che i colleghi ai tempi avevano battezzato "uso asociale dei social". Si ricordavano ancora in molti di quando nell'account Twitter dell'allora sconosciuta Allegra Brewer erano cominciate a comparire raffiche di notizie inedite a una velocità sconcertante. Prima il Sinodo della Chiesa d'Inghilterra: "Via libera alle donne vescovo, superata la maggioranza richiesta di due terzi." Una serie rapidissima di tweet con dettagli sulla votazione. "Ma questa Allegra chi è?": per primo era stato il caporedattore politico del *Daily Mail* a far echeggiare la domanda in redazione. "L'ha rilanciata anche Jason del *Times*, e George sul *Telegraph*!" Breve controllo dei molti retweet e telefonata concitata ai colleghi del web: "Mettete la notizia subito sul sito, poi per il giornale vedremo, abbiamo il nostro inviato."

Era il 2014: dopo la prima volta era capitato di nuovo, a distanza sempre più ravvicinata, con altre notizie che lei dava in anteprima via social.

Un colpo di genio, aveva dovuto ammettere Charlie, l'unico che le poteva lanciare battute ironiche senza suscitare reazioni stizzite. L'uso asociale era semplice: da giovane collaboratrice lei partecipava come tutti gli altri alle conferenze stampa o alle interviste di gruppo. Era velocissima però a twittare la notizia migliore come se fosse una sua esclusiva. Non era così. Ma nel brusio di fondo dei social network c'era sempre qualcuno o qualche giornale che citava come fonte lei e il suo tweet.

Le notizie c'erano e sul suo account comparivano prima che altrove. Per rilanciarle Allegra contava su una rete costruita in mesi di lavoro e di contatti social. Si era premurata infatti di farsi molti amici e follower tra i colleghi in posizione strategica: capiredattori, vicedirettori, persone operative al massimo livello. Loro avevano di solito ricambiato il contatto: perché non diventare "amici" di una giovane simpatica, aspirante collega? Quando il network fu abbastanza ampio, Allegra cominciò a bruciare gli altri sul tempo. Così si era fatta un nome, ma anche molti nemici. Colleghi vecchia scuola che non avevano capito subito come Twitter, Facebook, Instagram fossero un'arena dove si combatte senza esclusione di colpi. Dove chi arriva prima vince. Mentre loro si gingillavano postando commenti personali che compiacevano soltanto il loro ego, Allegra rilanciava notizie come avesse una personale agenzia di stampa.

"*I am very impressed*": tra i più entusiasti dei successi improvvisi di quella giovane collaboratrice ci fu anche il vecchio caporedattore degli esteri al *Times*. Allegra era una sua *freelance*, come tanti altri. Intraprendente, la ragazza, ma nulla di più. Almeno fino a quelle uscite che la misero in luce. Lei si schermiva, sorridendo tra sé, sicura che il capo non avesse capito il gioco. Social media: terra ignota per le vecchie generazioni. Quando i suoi tweet e i post cominciarono a venire rilanciati dai siti di giornali e TV il girotondo si chiuse con successo. Il nome della Brewer aveva preso a circolare sempre più insistentemente nei cerchi concentrici online, pallida ma influente versione digitale dei vecchi tradizionali Club londinesi. Il caporedattore, orgoglioso di avere scoperto quel talento, dopo qualche mese la propose per l'assunzione. Gli altri giovani aspiranti si passarono la voce tra sdegno e invidia.

Il copione ora si ripeteva con i reportage sulla campagna referendaria. Con il successo cresceva l'ostilità dei colleghi. I suoi articoli simpatizzavano per ambienti che rimanevano inaccessibili e sconosciuti ai più. La direttrice la faceva lavorare a pieno ritmo e lei non si tirava indietro. Il *Sunday Times* si sarebbe schierato pubblicamente solo poco prima del voto. Ma era Allegra Brewer il rompighiaccio che già aveva preparato il terreno con i suoi racconti dal fronte antieuropeo.

Giorni e giorni a percorrere in lungo e in largo il Paese, a rincorrere Farage, Johnson, Michael Gove o Gisela Stuart, la laburista che presiedeva il fronte di *"Vote leave"*, a conferma di quanto trasversali fossero i sentimenti antieuropei. Notti passate a seguire le lotte intestine dei conservatori, pro o contro Brexit, pro o contro Cameron. A scandagliare gli umori della provincia. Cittadine nelle Midlands e nel Nord Inghilterra, impoverite dalla crisi dei vecchi settori industriali. Intere aree abbandonate, capannoni e fabbriche vuote. Lavori sempre più precari, servizi pubblici sgangherati, a cominciare da quello sanitario. La frustrazione di chi teme un mondo troppo aperto, senza confini. Opportunità certo, ma solo per chi ha strumenti per affrontarlo. Altrimenti la globalizzazione è una sfida persa in partenza contro nuovi più agguerriti concorrenti.

Ci fu un momento terribile: l'omicidio della deputata laburista Jo Cox uccisa per strada da un estremista di destra. Il clima infuocato di contrapposizione politica durante la campagna referendaria e l'indottrinamento neonazista via Internet avevano armato la mano dell'uomo. Attese la giovane deputata all'uscita di una biblioteca a Birstall, nello Yorkshire, dove aveva incontrato i suoi elettori. Le sparò tre volte, la finì a colpi di coltello. Al giornale considerarono Allegra quasi personalmente responsabile.

"Continua pure a dare spazio ai fascisti di *England First*," le rinfacciò persino Charlie, in un impeto di genuina indignazione.

Lei rispondeva con la sua arma migliore: il lavoro senza risparmio. Il ritmo forsennato delle sue giornate la teneva concentrata. Le impediva di cedere alla stanchezza, ai dubbi e alla tensione. Aveva ancora poco tempo per far vedere quanto valesse. Il giorno del referendum si avvicinava. Poi il voto e il suo risultato quasi scontato l'avrebbero riportata alla realtà. Se davvero avesse vinto il *Remain* – come tutti i sondaggi portavano a credere – avrebbe potuto soltanto contare sulla incerta riconoscenza della direttrice. Le aveva fatto da apripista, con i suoi racconti e le sue inchieste tra gli operai di Sunderland e i pescatori della Cornovaglia, tra i pakistani di Bradford e gli allevatori gallesi. Si era guadagnata entrature preziose. Aveva portato a casa interviste davvero esclusive, non come su Twitter. Si chiedeva se il patrimonio professionale che stava accumulando sarebbe sopravvissuto alla sconfitta di Brexit. Allora avrebbe fatto i conti. Sperando di non averli sbagliati.

6

"In questo momento, 20 minuti prima delle 5 del mattino, possiamo ormai dire che la decisione di aderire nel 1975 al Mercato comune è stata rovesciata da questo referendum. I britannici hanno scelto di lasciare l'Unione europea." Alle 4.40 del 23 giugno 2016 il risultato non era ancora ufficiale, ma fu sancito da queste parole dalla BBC e dal suo storico conduttore David Dimbleby. Sorpresa moltiplicata dall'assenza di *exit polls* che aveva tenuto tutti all'oscuro fino all'ultimo. Troppo in bilico il risultato, nessuno aveva osato commissionare sondaggi nel giorno del voto e in quelli immediatamente precedenti.

Avvisaglie su come sarebbe andata a finire erano comunque arrivate nelle prime ore dello spoglio da circoscrizioni che a valanga avevano votato pro Brexit. Molto più del previsto.

Quale enorme stupore, nella notte più lunga della politica britannica recente, veder salire i consensi per l'uscita dall'Unione europea. Alla fine furono quasi il 52 per cento. Allegra, accasciata sul divano di casa, rientrata a Londra solo la sera prima appena in tempo per votare, aveva seguito le maratone televisive senza grande entusiasmo, convinta della sconfitta e annoiata dalla mancanza di veri aggiornamenti anche dopo la chiusura delle urne. Poi i risultati erano cominciati ad affluire, ma troppo parziali, troppo locali. Si era così assopita più volte, risvegliata solo da qualche applauso più convinto degli altri alla proclamazione dei risultati di singole città o contee. Fuochi d'artificio che si spegnevano velocemente nella tensione dell'attesa.

L'esplosione di commenti che seguì l'annuncio finale della BBC la risvegliò definitivamente. Mentre alle prime luci del giorno molti suoi colleghi lasciavano le redazioni come pugili suonati, Allegra, con l'adrenalina a mille, si attaccò al cellulare. I vincitori erano frastornati più degli sconfitti. Nessuno le rispondeva. Anche chi prendeva la chiamata lo faceva solo per le congratulazioni, non per dare pareri o notizie. Troppo presto. Quel risultato era solo il calcio di inizio. Nessuno sapeva davvero cosa sarebbe successo. Non lo sapevano nemmeno i leader quando al mattino si presentarono sul prato di fronte al Parlamento, dove li attendevano giornalisti e telecamere. Farage parlava a qualunque microfono gli si presentasse davanti. Johnson pure. Fuori dall'Unione europea il futuro sarebbe stato luminoso, per il Paese e personalmente per loro. Allegra scoprì di avere davvero puntato la sua *fiche* professionale sulla casella più ambita, quella degli imprevisti vincitori, dove la posta era dunque più alta.

Qualche giorno prima del voto sul carro pro Brexit era salita anche l'edizione domenicale del *Times*. "È tempo di un nuovo rapporto con l'EU", annunciava il titolo dell'editoriale sul *Sunday Times*. Finale inequivoco: "*This Thursday Britain should vote to leave*. I britannici questo giovedì devono votare per uscire." Esortazione tenuta riservata fino all'ultimo dalla direttrice, che l'aveva concordata solo con i più stretti collaboratori, a cominciare ovviamente da Jeremy Lyndon, il capo del redazione politica. Bandiera piantata. L'inviata speciale Allegra Brewer aveva fatto da ariete.

Nella mattina del trionfo, spingendo la porta girevole all'ingresso del palazzo dei giornali, ebbe chiaro che la sua soddisfazione si scontrava con la riprovazione morale dei colleghi, quasi tutti filoeuropei anche al *Sunday Times*. In ascensore fu ignorata persino da chi la conosceva bene. Borbottii più che saluti. Quanto più erano spiazzati dalla vittoria del *Leave*, tanto più erano indignati con lei. L'avevano sottovalutata, convinti che Brexit sarebbe stata sconfitta e archiviata velocemente, insieme alla carriera della rampante collega. E invece adesso li sentiva rimuginare nei capannelli alla macchina del caffè e dietro i tramezzi leggeri dell'open space. Era stata tentata anche di salire ai piani più alti. Tornare al *Times*, quello vero. Ripercorrere i vecchi corridoi, in una sorta di passerella per la rivincita. Ma sapeva che non era il caso. Le bastava la vittoria sul campo. Non voleva imbarazzare il povero Charlie, che ancora la guardava con rispetto. E una punta di invidia.

Furono poi settimane, mesi, anni travolgenti per i cronisti politici. Mai nella storia recente inglese si era assistito a uno spettacolo così folle. Le immediate dimissioni del Premier in carica, David Cameron, che il referendum aveva indetto per poi perderlo. Theresa May a Downing Street, nuovo capo di governo. Elezioni anticipate e nuovo esecutivo senza maggioranza autonoma. Le manifestazioni oceaniche di chi ancora chiedeva di rifare il referendum, sperando di annullare Brexit. L'indecisione della May osteggiata da molti del suo stesso partito che la giudicavano troppo moderata e debole per trattare con Bruxelles. L'orologio della politica correva veloce. Una manna per i giornalisti. Un passo in avanti e due indietro. Più il tempo passava più sembrava difficile lasciare davvero l'Unione europea. Cresceva la rabbia dei sostenitori dell'uscita, timorosi di vedere sfumare l'obiettivo storico che avevano raggiunto col referendum.

Allegra aveva continuato a seguire l'ala dura pro Brexit. Anticipava con i suoi scoop le mosse di quella partita a scacchi che lasciava sul campo politico morti e feriti. Dopo tanti inseguimenti, incontri, colloqui, notti passate a parlare con gli ideologi, gli strateghi e i protagonisti, anche lei alla fine si era davvero convinta della bontà della scelta. Il posto del Regno Unito, anzi, soprattutto dell'Inghilterra, era fuori dall'Unione europea, pensava ora. Per conto proprio. Magari solitaria ma almeno indipendente. Lontano dalle stanze di Bruxelles e di Strasburgo, dalle infinite trattative, dalle scelte forzatamente annacquate dagli interessi e dalle visioni diverse di troppi Paesi. "Il futuro sarà migliore adesso," rifletteva, convertita dal risultato e dal proprio successo. "La casa del Regno Unito è il mondo, non solo l'Europa," andava ripetendo nei suoi incontri e nei suoi articoli. "Il Commonwealth è la dimensione più adatta alla storia e alla mentalità del nostro Paese globale."

Eppure lo spettro di una marcia indietro, addirittura di un secondo referendum aleggiava ancora dopo tre anni. La scadenza per l'uscita dall'Unione slittava di mese in mese. La determinazione apparente della prim'ora – *Brexit means Brexit* – era ancora avvolta in un groviglio di tentennamenti e timori.

Allegra aveva scritto di tutto questo, promossa a tempo di record al rango di *Senior Political Correspondent*. Aveva commentato il clima di terrore dell'estate 2017, quando una serie di attentati – a Londra e Manchester – aveva brutalmente fatto ricordare il pericolo islamista. Era stata a un passo dall'essere coinvolta lei stessa nel primo attacco, quello sul ponte di Westminster. Dopo avere falciato con un'auto una decina di passanti il terrorista si era scagliato contro un poliziotto di guardia ai cancelli del Parlamento. Lo aveva ucciso con un coltellaccio prima di essere abbattuto a sua volta dagli altri agenti. Allegra era diretta alla Camera dei Comuni proprio in quei minuti di tarda mattinata. Non si fosse attardata più del solito in una caffetteria sarebbe passata anche lei nel momento fatale all'angolo tra ponte e piazza. Poche decine di metri, un largo marciapiede percorso ogni giorno da migliaia di pendolari in uscita dalla stazione della metropolitana. Si era salvata per caso. Una buona sorte che la lasciò sgomenta quando la strada sbarrata e gli agenti che urlavano di allontanarsi le fecero capire in un attimo cosa stava succedendo.

Un periodo disgraziato: agli attacchi terroristici si aggiunse il rogo della Grenfell Tower, un palazzone popolare bruciato in poche ore lasciando un terribile bilancio di morti. La sequela di tragedie scuoteva le certezze della gente. Minava le convinzioni. Attizzava tensioni xenofobe che in passato erano sempre apparse marginali in Inghilterra. Ma ora non più, ora erano pronte a riaccendersi. In tanti erano disorientati dalla debolezza della politica e dalla forza di queste violenze.

Si moltiplicavano le manovre dietro le quinte sul campo di battaglia di Brexit. "I tentativi di ribaltare la scelta di uscire dall'Unione europea non passeranno," ammonivano i capi del *Leave*. Tempo di incertezza che si prolungava, finché non arrivò il più improbabile dei Premier a stroncare ogni resistenza.

Boris Johnson tagliò con la spada di nuove elezioni i nodi che paralizzavano il governo. Il 12 dicembre del 2019 le vinse alla grande, al grido di *"Get Brexit done"*, concludiamo Brexit. Facciamola. Finalmente.

Tutto si rimise in moto. Anche la voglia di Allegra di avere sentimenti, affetti, passione e amore. Una vita privata dimenticata troppo a lungo. Per anni rimossa, sostituita dall'ossessione del lavoro.

7

"Life is full of surprises," la vita è piena di sorprese, ripeteva il nonno a George da piccolo. Proprio al nonno aveva pensato nell'inquietudine della notte sul traghetto da Belfast a Liverpool. Niente sonno. Pensieri che si rincorrevano. Prima il taxi, ora l'Ulster. Nonno William era nordirlandese. Aveva vissuto a Portadown, contea di Armagh, prima di trasferirsi a Londra in cerca di una vita migliore. Almeno così George si era sempre sentito raccontare.

Lui non c'era mai stato, a Portadown. Neppure per lavoro aveva mai attraversato l'orgogliosa cittadina a maggioranza protestante, epicentro di scontri e attentati negli anni dei *Troubles*. Gli tornavano alla mente spezzoni di conversazioni. Ricordi e battute oscure in famiglia. Il nonno non parlava mai della sua vita in Ulster, quella precedente al trasferimento in Gran Bretagna. Assieme alla seconda moglie e al figlio Michael, che all'epoca doveva avere quindici anni, era prima approdato a Glasgow, dove avevano parenti nella parte protestante della città. Poi nella grande capitale, Londra. Un viaggio che migliaia di famiglie irlandesi, non solo del Nord, avevano intrapreso per decenni. Ancora più facile per i protestanti unionisti come suo nonno. *"British and proud of it,"* britannici orgogliosi di esserlo. Non Feniani irlandesi. Tra Londra e Dublino, il padre di suo padre non aveva mai avuto dubbi.

A George erano sempre rimaste tante domande senza risposta. Un alone di mistero circondava le scelte di quell'uomo che ricordava vecchissimo. Lo rivedeva nella casetta a fianco della loro, quando erano già tutti londinesi. Lui bambino di quattro, cinque anni, il nonno sui settanta. Erano gli unici confusi ricordi di quel periodo e di quell'uomo rimasto solo a lungo negli ultimi anni di vita. Nonna Grace infatti George non l'aveva mai conosciuta, era morta poco prima della sua nascita. Tutto il calore, la bonomia, la tolleranza dei vecchi, per lui bambino, erano associate solo alla figura del nonno.

Ricordava se stesso da piccolo, arrampicato sulle ginocchia del vecchio William, seduto su un divano coperto da un telo a quadri colorati. Grinzoso dinosauro di altre epoche, il nonno gli aveva lasciato il senso di una bontà gratuita. Incondizionata. Indipendente dalle sue bizze, dalle monellerie di bambino nervoso e irriverente. Da lui si rifugiava in fuga dalle sberle del padre che invece gli piovevano addosso a ogni disobbedienza o ribellione. Il vecchio lo proteggeva accogliendolo in grembo, lo accarezzava sulla testa. Più della mamma, che George sentiva fredda, scostante.

Il nonno parlava con un accento strano. Parole strette e suoni nasali. Un accento diverso da quello di tutti gli altri in famiglia: suo padre Michael l'aveva ripulito crescendo a Londra per non farsi prendere in giro dalle fidanzate, al pub o sul lavoro. "Era solo un ragazzo, papà, quando lasciarono Portadown," pensava George mentre fumava. Si era alzato, arreso all'insonnia di quella notte. La sigaretta sfrigolava di scintille nel vento gelido del pontile. Proprio il fumo si era portato via presto suo padre. Un tumore a poco più di sessant'anni.

George scrutava le onde d'acciaio di quello stesso mare attraversato decenni prima dai suoi familiari. William Moore a Portadown aveva avuto un negozio di alimentari. E una famiglia precedente. Poi aveva incontrato Grace, ma non aveva mai sposato quella seconda compagna che gli aveva dato un figlio tardivo, suo padre Michael. Non in Ulster, almeno. Forse erano andati in Comune nel breve periodo di Glasgow, per mettersi in regola e compiacere i parenti che li stavano ospitando. Ma anche su quel dettaglio erano più i misteri che non le certezze. Come sui fratelli di suo padre, figli di primo letto di William. Zii incontrati qualche volta a Londra ma rimasti fuori dalla loro vita. Michael si era limitato a raccontargli del negozio di alimentari. Di come da bambino andava a giocare dietro alla bottega di salsicce e formaggi, in un piccolo cortile che era l'unico angolo tranquillo tra due vie piene di traffico, al centro della cittadina.

Portadown durante gli anni della guerra civile era stato uno dei punti più caldi degli scontri tra Lealisti filobritannici e Repubblicani filoirlandesi. "Si sparavano per strada": George, inghiottito nel giubbotto di pelle, la zip tirata fino al mento, ricordava le scarne frasi di suo padre. "Una vera guerra tra protestanti e cattolici. Una follia." Versione semplificata, di chi quegli anni non aveva vissuto direttamente. Il solco tra quei due mondi in lotta era infatti più ideologico e politico. La religione giocava un ruolo marginale. Ogni volta che aveva chiesto come fosse stato vivere in posti così violenti, si era immancabilmente trovato di fronte risposte evasive. "Ce ne siamo andati prima. Il terrorismo è scoppiato più tardi," lo liquidava Michael. Si era sempre limitato a racconti innocui, suo padre. Il pony che aveva ricevuto come regalo da bambino. Era come lo scooter per un ragazzo di oggi. Un cavallino per farsi portare in giro, un motorino a quattro zampe da cavalcare senza patente nell'Irlanda ancora rurale e contadina.

I duelli con i compagni, bastoni come spade e coperchi dei bidoni dell'immondizia come scudi.

Poi Glasgow e infine Londra. Michael aveva così finito nella capitale la scuola dell'obbligo, pronto a essere arruolato nella bottega di birra e alcolici di cui il nonno si occupò fino alla morte, a Clapham, a sud del Tamigi. I ricordi si sfilacciavano. Anche la mamma di George sembrava ignara del passato. Lei e il marito si erano conosciuti a Londra. L'Ulster degli anni sessanta era un mondo estraneo alla loro mentalità inglese e cittadina.

Sembrava davvero insomma che i Moore se ne fossero andati appena in tempo. Sfuggiti alla tossica atmosfera di omicidi, attentati, regolamenti di conti che a Portadown divennero all'ordine del giorno negli anni successivi.

C'era un episodio, però, che ricordava con chiarezza e gli aveva lasciato più di un sospetto. Era avvenuto in occasione dei funerali del nonno. George era ancora bambino. Alle esequie non potevano mancare certo gli zii nordirlandesi, che infatti arrivarono il giorno prima della cerimonia. Venne ospite a casa un fratellastro di suo padre con moglie. Un uomo rozzo che a George era parso un vecchio. La cena si protrasse a lungo. Il tono mesto della serata non aveva ostacolato le chiacchiere. Gli adulti si dilungavano in racconti e notizie, seppure senza grande entusiasmo. Lo zio e la zia, mai visti prima, restarono da loro fino a tardi. George fu mandato a dormire. Dalla sua camera sentì la discussione continuare, anzi, farsi accesa. Più volte echeggiò la parola *snitch*. Tutto il resto era un confuso borbottio di voci alterate. Aggressivi botta e risposta, sibilanti ma senza grida, ovattati, come con il silenziatore. Parole oscure: ma *snitch* lo aveva sentito benissimo.

Snitch, spia. Quella sera gli adulti sembravano avercela con il nonno. Suo padre diceva che non era vero. Parlava anzi di un suo rifiuto a collaborare. George nel dormiveglia aveva solo registrato quelle frasi, senza capirle. Troppo sottili le pareti per non ascoltare. Troppo piccolo lui per trarre conclusioni. Lo zio vecchio ribatteva frase su frase. Suo padre difendeva il nonno. Il sonno aveva vinto George dopo un po'. Un sonno impenetrabile anche dal vociare che continuava in sala.

Il mattino dopo gli zii non c'erano più. Rimanevano le espressioni stanche sui volti di mamma e papà. George non aveva osato chiedere nulla. Si era tenuto dentro l'impressione di una brutta storia e di una cattiva reputazione sulla testa di tutti loro. Ai funerali nessuno aveva detto più una parola. Solo *small talk*, banalità che per George bambino erano tanto oscure quanto la discussione della sera prima. Toni incomprensibili, come la parlata nordirlandese dei cuginetti, poco più grandi di lui, arrivati anche loro per dire addio al nonno. Aveva persino pensato che fossero bambini stranieri. Non li capiva. Loro di rimando non capirono le sue poche parole di saluto.

Qualche anno dopo c'era stata un'altra visita degli zii, questa volta senza grandi discussioni. Il ricordo del funerale gli era rimasto indelebile e così George aveva avuto la sfrontatezza di domandare chi fosse stato lo *snitch*. "Nessuno, men che meno il nonno," gli aveva risposto brusco suo padre, con il tono di chi tronca la discussione e non ammette altre domande. "Nessuno dei Moore è mai stato una spia," gli aveva ripetuto, come per convincere anche se stesso. La cosa era finita lì. Non gli era mai importato troppo, prima. Erano vicende che non lo riguardavano, remote anche geograficamente. Ma nel chiarore luminoso di quell'alba primaverile, scrutando all'orizzonte le alte torri in cemento del porto inglese che lo attendeva, si rammaricò di non conoscere tutta la verità.

8

Si era risvegliato. Buio pesto. Gli occhi coperti da una benda
nera. Un cappuccio sulla testa. Non vedeva nulla. Eppure doveva
essere in una stanza illuminata perché sentiva lo sfrigolio di quelli
che sembravano vecchi tubi al neon accesi. Mosse la testa, collo
dolorante.

"*Are you back?*" Sei tornato tra noi? chiese una voce. Uomo.
Timbro giovanile. Parlata smozzicata. William Moore non
rispose. Doveva essere svenuto ai primi pugni. Cercava di
capire chi fosse a parlargli così. Era una voce che gli sembrava
di conoscere. Poi di nuovo, il sibilo fulmineo di qualcosa che
si muoveva. Un dolore lancinante al ginocchio. La bastonata lo
colpì alla gamba destra. Gli strappò un grido, appena soffocato
dal cappuccio.

"E allora?" gli ingiunse la voce.

"Allora cosa?" replicò quando gli tornò il fiato.

"*Come on, you bastard...* Cos'hai raccontato alla polizia?"

William si bloccò. Non riusciva a capire. L'accento e la parlata
erano di gente del quartiere. Quindi protestanti. La sua gente. Ma
l'omicidio del poliziotto del Royal Ulster Constabulary doveva
essere stato opera dell'IRA, anche se non era arrivata nessuna
rivendicazione. Non sapendo chi aveva di fronte, tacque. Nuovo
sibilo, nuova bastonata, sull'altra gamba.

"Puoi parlare," continuò la voce. "Non siamo *Republicans.*"

Attorno sentiva muoversi altre persone. Probabilmente due. Forse tre.

"E allora chi siete?"

Un altro pugno lo punì per la domanda.

"Non importa. Dicci cos'hai raccontato."

Spiegò quello che i rapitori già sapevano: "È successo a pochi metri dal mio negozio. Non potevo mica negare. Ho sentito i colpi di pistola."

L'agente era stato ammazzato proprio a due passi dall'alimentari. William era uscito sulla porta. L'aveva visto a terra. Fermo immagine scolpito nella mente. I passanti istintivamente appiattiti lungo i muri della via. Due ombre nere che si erano allontanate di corsa. Il calzolaio che aveva la vetrina proprio davanti si era affacciato subito. Uno sguardo a entrambi i lati della strada. Poi si era avvicinato al poliziotto colpito. Perdeva sangue. Cercò di sollevargli la testa. William era stato più titubante. Voleva essere sicuro che non ci fossero altre persone armate. Solo dopo qualche istante era accorso anche lui ad aiutare. Per l'agente non c'era più nulla da fare. I killer avevano fatto centro. Li aveva visti fuggire. Aveva notato la giacca di uno dei due. Frange alle maniche. Questo aveva raccontato alla polizia.

"Ho raccontato il minimo, quello che non potevo non aver visto," rispose.

"Hai raccontato troppo. Troppi dettagli. Quando hanno arrestato uno dei nostri sapevano che giacca aveva. L'hanno trovata in casa. Chi gliel'ha detto?" continuò la voce. Una bastonata alla schiena fece irrigidire William in uno scatto di dolore. Un colpo sordo. Non urlò questa volta.

"Hai parlato troppo. Potevi dire che pioveva e finirla lì," disse senza ironia l'uomo senza volto.

Pioveva, infatti, quel pomeriggio. Il sangue si allargava sul marciapiede bagnato. Una macchia circolare, livida, regolare, sempre più grande. Il corpo del poliziotto era immobile, pesante nella nera divisa fradicia.

"Sai che fine facciamo fare alle spie? Li appendiamo con i ganci da macellaio e li lasciamo così finché il sangue non è finito. Una bella morte lenta..." aggiunse la voce.

William allora capì. Dovevano essere quelli dell'UDA. Non poteva avere dubbi. A incappucciarlo e spingerlo dentro una macchina fino a quel luogo sconosciuto dovevano essere stati i paramilitari lealisti. Di quella tortura mortale per le vittime avevano fatto un marchio distintivo. Punivano così chi tradiva l'organizzazione, li lasciavano dissanguare appesi a un gancio. Il centro città, dove William aveva il negozio, era sotto il loro controllo. Lo sapeva lui, lo sapevano tutti a Portadown. Ma perché sparare a un poliziotto? Quello era il mestiere dell'IRA, i cattolici che volevano unirsi a Dublino. Erano loro, i Repubblicani, che mettevano nel mirino la polizia inglese.

"Allora mi conoscete..." disse il nonno di George cercando una via d'uscita. Giocò la carta più ovvia. Stavano dalla stessa parte, non se la potevano prendere con lui.

Lo conoscevano, certo. Sapevano chi era e dove abitava.

"*I am on your side, 'course,*" azzardò William per vincere il silenzio del commando.

La bastonata questa volta cadde sulla faccia. Fu più leggera di quanto avesse temuto. Ma bastò a strappargli una smorfia. Sentì sulle labbra il sapore del sangue che scendeva da uno zigomo. Il cappuccio lo assorbì velocemente.

"Ringrazia che sappiamo chi sei," continuò la voce, ignorando i colpi che il compagno faceva cadere su William. "Questa volta hai fatto una cazzata. Non si deve ripetere."

"*No, 'course.*"

"Ma le cazzate si pagano."

Silenzio.

"D'ora in avanti tu e tuo figlio lavorerete per noi. Dovete raccontare quello che vedete e sentite. Tu al negozio, lui anche a scuola. Vi verrà a trovare uno di noi, una volta la settimana. Per Michael abbiamo poi altri programmi. Ha l'età giusta. La nostra guerra è la tua ma soprattutto sarà la sua e dei ragazzi della sua generazione. Spiegaglielo. Insegnalo a tuo figlio. Chiaro?"

"*Yep*, certo."

"Adesso ce ne andiamo. Fuori c'è uno di noi. Se ti muovi prima di dieci minuti ti spara. Aspetta e conta. Dopo puoi uscire."

William sentì una lama che tagliava la corda ai polsi. Rimase seduto con le mani dietro le spalle. Contò mentalmente lentissimi secondi per arrivare a dieci minuti. Alla fine alzò il cappuccio, si tolse la benda. Penombra. La luce dei neon era stata spenta. Un capannone che sembrava abbandonato da tempo. La porta di metallo mezza scardinata. Periferia di Portadown. Si alzò dolorante. Le gambe instabili ai primi passi. Il sangue pulsava nelle ginocchia ferite. Almeno non lo avevano gambizzato, sparando alla rotula, come i paramilitari spesso facevano. Un segno indelebile, una ferita che rimaneva per tutta la vita. Gli era andata bene. Si appoggiò di nuovo alla sedia. Trasse un respiro profondo. Lo attendeva una lunga dolorosa camminata per tornare al negozio.

George non aveva mai saputo la verità. Anche con il figlio Michael il nonno aveva condiviso solo in minima parte il racconto di quell'intimidazione. Forse solo nonna Grace sapeva tutto. Avevano scelto insieme di andarsene, i nonni. *Troubles* ancora più sanguinosi, a Portadown e in tutto l'Ulster, si profilavano all'orizzonte. Segni chiarissimi preannunciavano nuovi scontri.

L'omicidio dell'agente per mano di paramilitari dell'*Ulster Defence Association* era un messaggio a tutti i poliziotti britannici inviati a mantenere l'ordine pubblico nelle sei contee dell'Irlanda del Nord. Dovevano rispettare un patto non scritto ma siglato col sangue: reprimere gli attacchi dei Repubblicani cattolici ma chiudere un occhio sulle azioni dei paramilitari filobritannici. Erano dalla stessa parte, quella del governo di Londra. Le forze speciali inglesi lasciavano così agire indisturbati i gruppi come UDA e UVF, l'*Ulster Volunteer Force*. Anzi li usavano per i lavori sporchi. L'agente ucciso non l'aveva capito. Aveva indagato su un ferimento, vittima un cattolico gambizzato per la strada, a caso. Il detective stava seguendo la pista che portava a un capo lealista. Prove schiaccianti. Un suo collega in divisa aveva avvertito i paramilitari. Uccidendolo l'UDA aveva messo il sigillo sul tacito accordo tra gruppi unionisti, polizia britannica, forze speciali e servizi segreti inglesi. Piena collaborazione contro la minoranza cattolica e il suo braccio armato, l'IRA.

Per questo William all'inizio era confuso. Aveva ragionato come molti, ignaro dei patti segreti. Credeva che a sparare al poliziotto non potessero che essere i Repubblicani. Invece questa volta erano stati i Lealisti. Protestanti come lui. La stessa gente con cui chiacchierava tutti i giorni in negozio, la stessa che vedeva la domenica al servizio religioso nella chiesa del pastore Murphy.

Non c'era più spazio per restare neutrali. Certo William Moore era e rimaneva orgogliosamente protestante e filo-britannico. I Feniani per lui erano feccia da tenere a bada nei loro quartieri. Che non si facessero venire l'idea di unificare l'isola. Di trasformare in repubblica anche la loro terra, fedele alla monarchia inglese e alla *Union Jack*. Il culto per la regina Elisabetta, garante di continuità, dignitosa immagine della monarchia, sul trono già da qualche decennio. Secoli di guerre e marce orangiste alle spalle per difendere l'appartenenza al Regno Unito, la vicinanza a Londra e non a Dublino. Anche il piccolo Michael aveva già sfilato nella parata del 12 luglio, celebrazione della vittoria protestante sul fiume Boyne nel 1690. Una tradizione che dura da secoli. Roteava il bastone dietro la banda militare che al rullo dei tamburi percorreva i quartieri cattolici fino alla chiesa di Drumcree. Provocazione per i Repubblicani poiché ricordo della loro sconfitta storica. Orgoglio invece per i Lealisti.

William sentiva di essere dalla parte giusta. Così aveva educato il figlio. Ma non per farne un criminale. Sapeva che i militanti dell'UDA li avrebbero sfruttati senza ritegno, non solo come informatori. Mantenere le mani pulite non sarebbe stato più possibile. Michael sarebbe finito in mezzo ai guai. Sarebbe stato coinvolto negli attacchi, nelle sassaiole su Garvaghy Road. Forse anche di peggio.

Per questo William aveva deciso di partire. I figli del primo matrimonio erano ormai indipendenti. Avrebbero scelto come credevano. Potevano anche rilevare loro il suo negozio e la licenza commerciale. Almeno sarebbe rimasto in famiglia: la posizione era buona, all'angolo con la High Street, vicino al grande parcheggio della stazione ferroviaria. Ma ormai era determinato: avrebbe portato via da lì la sua nuova famiglia. In un paio di settimane i Moore si imbarcarono sul traghetto verso il porto scozzese di Cairnryan, destinazione Glasgow.

Al figlio Michael il nonno si era limitato a spiegare che se ne andavano perché l'atmosfera in Ulster stava diventando pericolosa. La vita in Scozia o in Inghilterra sarebbe stata migliore. E lo fu. Al nipote George sarebbe arrivata una versione ancora più edulcorata. I nonni erano andati via da Portadown per cercare un altro lavoro e far crescere il ragazzino in una grande città. Il sogno di Londra. Nessun racconto di poliziotti uccisi o di ricatti dei paramilitari. Il passato in Irlanda del Nord rimaneva avvolto dal mistero. A ogni domanda suo padre rispondeva a disagio. Uno sguardo strano, sofferente, come chi si sente toccato dal bisturi. Un nervo sensibilissimo. Un sospetto che pesava. "Nessuno ha fatto la spia, non certo il nonno," aveva sempre detto. Le sue risposte andavano molto al di là delle domande.

Con gli anni George aveva dimenticato. In fondo non aveva dubbi che, partendo, i nonni avessero fatto un regalo a tutti.

Enorme. Avevano assicurato a lui un futuro diverso. La sua vita non c'entrava nulla con l'Ulster. Almeno fino a quella notte al porto di Belfast.

La sua reazione, la frase detta all'incappucciato nascevano forse da quel passato oscuro? Dalla reticenza in famiglia che non riusciva a cancellare quello che in cuor suo credeva di sapere?

"Sono dalla vostra parte." Gli era venuto spontaneo.

George guardava la costa che si stagliava col suo profilo basso sulla linea dell'orizzonte. Come suo nonno mezzo secolo prima, anche lui stava arrivando in traghetto sull'altra sponda del mare d'Irlanda. Dove lo aspettava per fortuna la sua vita vera. E la sua straordinaria donna. Gli sembrava ancora incredibile il modo in cui la loro storia era cominciata. Soltanto un anno prima.

9

"*Hellooo!*"

Allegra gridò, alzandosi sulle punte per superare la barriera di persone che li divideva.

"*Hellooo!*"

Al secondo saluto George non poté che voltarsi, fingendo sorpresa. In realtà l'aveva già notata con la coda dell'occhio tra la folla festante. Ma la prima volta era stata lei a fuggire. E così in quella serata trionfale, tra la sua gente, gli inni e le dichiarazioni di vittoria lui non aveva certo voglia di farsi rovinare l'atmosfera.

Stavolta era lei però che lo chiamava. Lontana una decina di metri ma quasi irraggiungibile in una selva di teste, braccia e mani levate. Volti eccitati, bocche stravolte, smorfie di rivincita e di onnipotenza. Anche ad Allegra sembrava incredibile essersi rivisti in quella ressa: migliaia di persone strette strette nella piazza del Parlamento festeggiavano il Brexit Day sospirato per quasi cinque anni.

In fondo non era però così strano. Entrambi avevano sgomitato per essere nelle prime file. Buon posto di osservazione giornalistica per lei, meritata ricompensa per la militanza e le tante battaglie in piazza per lui. Un miracolo, piuttosto, che lui avesse sentito il suo grido tra una pausa e l'altra dei decibel sparati a tutto volume dagli altoparlanti. La vittoria fa sempre tanto rumore. E poi i cori improvvisati dalla folla alle loro spalle. Al cantante folk che dal palco intonava *"Rule, Britannia! Britannia rule the waves..."* la folla rispondeva a ruggiti ignorando il ritmo della band di ottoni e chitarra elettrica che lo accompagnava.

Mai quella piazza aveva vissuto in tempi recenti una festa più entusiasta, più convinta. Solo la vittoria della Seconda guerra mondiale, solo quella aveva trascinato gli animi con tanta soddisfazione, pensava Allegra. A George più prosaicamente veniva in mente la finale dei Mondiali 1966. Doveva essere stato così anche allora, una vittoria cristallina e inattesa per l'Inghilterra, un trionfo tutto da godere. Proprio come l'uscita ufficiale dall'Unione europea. Riscossa sugli eterni dubbiosi. Sugli scettici. Sia di sinistra, globalisti ed europeisti per principio. Sia di destra, globalisti ed europeisti per interesse.

In piazza c'era la gente. Il popolo vero. Migliaia di bandiere sventolavano nel freddo di fine gennaio. *Union Jack* e croci di San Giorgio. Manifestanti con la bombetta e la cravatta patriottica. Cappelli blu e rossi. Magliette e striscioni: *"We did it,"* ce l'abbiamo fatta! *Bulldog* disegnati su grandi cartelli. E molti *bulldog* veri agghindati con la bandiera per la loro passerella patriottica.

George cominciò una manovra di avvicinamento. Esplosioni di applausi scuotevano la folla. Sul palco era stato chiamato il proprietario della maggiore catena di pub del Paese, pro Brexit fin dalla prima ora. Molti gli erano riconoscenti per l'impegno, i più per la birra. Allegra seguiva i discorsi che echeggiavano dal palco e insieme guardava i movimenti di George. Meglio ci provasse lui, con le sue spalle robuste. Lei sarebbe finita travolta nella calca. All'improvviso la voce nasale della Thatcher ripeté i suoi *"No, no, no"* all'Europa. Un video degli anni ottanta riluceva sul megaschermo, trasformato in un rap surreale. I *no* ripetuti in *loop*. Parole d'ordine tornate di attualità. Un deputato conservatore dell'ala dura celebrava il risultato: "Fra meno di un'ora saremo fuori dal Superstato di Bruxelles. In questi decenni abbiamo dato all'Unione europea 211 miliardi di sterline. E cosa abbiamo ricevuto in cambio?"

"*NOTHING!*" L'urlo della folla esaltò la *boutade*. Decisamente esagerato, ma era quello che la gente voleva sentirsi dire, soprattutto quella sera. La vittoria fa rumore e non va per il sottile. Scintille di risentimento finalmente vendicate scaldavano la notte invernale. Ai margini della folla scoppiò qualche tafferuglio. Contromanifestanti. Gruppetti alternativi. Volevano ricordare l'altra metà del Paese, quella che aveva votato per restare in Europa. Qualche bandiera blu con le stelle gialle dell'Unione finì bruciata. L'intervento degli agenti raffreddò gli animi più della pioggerella che cadeva insistente.

"*What a night!*" George l'aveva raggiunta, facendo un giro dietro il palco e aprendosi la strada mentre tutti oscillavano, ondeggiando sulle gambe e cantando a braccetto *Land of hope and glory*. E ancora, il trionfo: "*God who made thee mighty... Make thee mightier yet...*" Tutti fecero coro. Anche loro due, ormai fianco a fianco. La risata di Allegra scoppiò a fine strofa. Rotonda, sonora. Una risata all'americana, pensò lui. Quella di una donna di successo che si applaude da sola. Compiaciuta di sé. La stavano guardando in molti.

Lei non si era mai sentita così leggera ed emozionata. Su di giri. Senza retropensieri. Forse lo era stata qualche volta da ragazza. Ma allora cedeva subito all'ansia, alla paura di tradirsi, di mostrarsi debole, come si sentiva dentro. Adesso invece era pura gioia. Scatenata. Consapevole. Assoluta. Anche per questo l'aveva chiamato senza pensarci troppo. Era una serata magica. E quella magia violenta, quasi brutale aveva travolto i timori che di solito la rendevano diffidente, diffidente com'era stata al loro primo incontro.

10

Un anno prima, più o meno. Un'altra manifestazione a favore dell'uscita dall'Unione europea. Stesso luogo: Parliament Square. Lì si era conclusa la marcia pro Brexit di Nigel Farage e di altri esponenti nazionalisti. Allegra l'aveva seguita per lavoro. George era tra coloro che aspettavano in piazza l'arrivo delle centinaia di attivisti a piedi. La giornalista aveva avuto tempo di parlare con lui, come con parecchi altri. Si erano dati appuntamento più tardi.

"Ci vediamo al White Horse. Lo conosci? All'angolo Whitehall-Trafalgar Square," gli aveva detto. George lo conosceva bene. Un ex tassista londinese conosce tutte le strade. Tutti i locali. Tutti i punti di riferimento. Avrebbero parlato con più calma, avrebbe potuto raccontare meglio la sua storia, promise la giornalista. Lei aveva preso il suo numero di telefono, nel caso di contrattempi. Non viceversa. Quell'uomo non più giovane, solido, i capelli corti dal taglio militaresco, le era apparso subito attraente, ma meglio non fidarsi.

"Camionista," le aveva raccontato brevemente. "Per anni tassista. Militante da sempre." Un parlare schietto. George non dava risposte diverse da quelle degli altri. Eppure Allegra era incuriosita. Forse per il tono sicuro e per la chiarezza delle opinioni di quell'uomo.

Il giorno del loro primo incontro era già quasi primavera. Nella grande piazza quadrata un sole tiepido scaldava l'aria ancora fresca. Chiacchieravano senza che Allegra prendesse appunti, si limitava ad ascoltare e a osservare con attenzione. Poi un primo schiamazzo. Slogan e urla. Le avanguardie di Farage stavano arrivando. Una parodia di marcia su Londra che il leader aveva accompagnato solo a tratti. Ad altri il compito di percorrere l'intero tragitto da Sunderland, roccaforte di Brexit nel Nord Inghilterra, fino alla capitale. Atmosfera cupa, densa di rancore e risentimento. Era la protesta delusa di chi quasi quattro anni dopo il referendum vittorioso vedeva ancora lontano l'obiettivo. Il governo di Theresa May, privo di maggioranza parlamentare autonoma, era incapace di rispettare la scadenza di uscita dall'Unione. Londra aveva chiesto una proroga, poi un'altra, poi un'altra ancora. Una vergogna. Nel vociare della manifestazione George era furioso come tutti gli altri. Non sguaiato, però. Manteneva il tono e la compostezza di chi è abituato a combattere a viso aperto. Dal palco la voce stentorea di Farage pronunciava il suo *j'accuse* contro chi continuava a frenare Brexit. "Loro" la volevano tradire. Allegra cercava di intervistare i manifestanti più pittoreschi, anche se in verità preferiva quelli meno chiassosi ed esibizionisti. Il folclore degli elmi vichinghi, delle bombette e dei tamburi andava meglio per le TV. A lei interessavano le ragioni del popolo di Brexit. Voleva ascoltare ancora le risposte dell'operaio di Sunderland che si era preso le ferie per arrivare quel pomeriggio in manifestazione. Del coltivatore di frutta del Wiltshire. Del pescatore come del finanziere d'assalto. Tutti speravano la stessa cosa: di andarsene da un'Unione europea opprimente nelle norme e nelle pretese.

La manifestazione era continuata anche dopo la fine dei discorsi. La rabbia dei dimostranti si era trasferita a poche centinaia di metri, davanti a Downing Street. La Premier May, dal suo ufficio al numero 10, protetta dai cancelli, dai metal detector e da decine di agenti, poteva comunque sentire i boati di insulti e disapprovazione al suo indirizzo. La polizia aveva caricato un paio di volte. Qualcuno era finito nei furgoni cellulari, portati via per accertamenti. George si era tenuto alla larga. Avrebbe anche lui menato volentieri le mani. Ma non così a caso, non per il solo gusto di una rissa con i poliziotti. Gli sarebbe piaciuto piuttosto picchiare qualche deputato doppiogiochista. Ovviamente lasciò perdere. Andò all'appuntamento al pub.

Per evitare il blocco dei dimostranti davanti a Downing Street George scese sull'Embankment, il lungofiume. Il quartier generale della Metropolitan Police, nuova sede di Scotland Yard, garantiva un percorso libero da assembramenti. Risalì poi verso Trafalgar Square e si trovò davanti al White Horse. Non capiva cosa volesse ancora quella giornalista, ma ne era attratto. Una pinta insieme non avrebbe fatto male a nessuno. Anzi. Ammesso che lei arrivasse. Cosa su cui non contava troppo.

Allegra infatti, ancora nella confusione della rumorosa protesta, si chiese cosa diavolo stesse facendo. Il numero di telefono di George – si chiamava George? – finì in un cestino. L'articolo da scrivere la aspettava.

Lui bevve la sua pinta chiacchierando con altri reduci dalla manifestazione. Non fu troppo sorpreso della defezione della giornalista. Conosceva quel tipo di donne.

11

In entrambi era ancora vivo il ricordo di quel primo incontro. Ed entrambi erano un po' sorpresi che le loro sorti si incrociassero di nuovo. Questa volta a festeggiare insieme, in una baraonda che rendeva giustizia all'atmosfera rancorosa della piazza di un anno prima. Ebbero tempo di pensarci, mentre lui si apriva a fatica un varco tra la folla. Attorno, bandiere e cori, risate e abbracci tra sconosciuti.

"*A second chance?*" gli disse ridendo Allegra appena furono a portata di voce. Audace e sfacciata, incurante di come lui potesse prendere quella battuta.

"*A second chance...?*" rispose dubbioso George. "Basta che io non finisca di nuovo da solo al pub!" Il primo bidone gli aveva lasciato l'amaro in bocca e davvero non sapeva se concedergliela oppure no, questa seconda occasione. Sembrava un replay, il nastro riavvolto allo stesso punto. Stessa piazza, stessa gente. Ma adesso la folla era festante. Trionfante. Un buon auspicio anche per loro due. La maliziosa risata di Allegra lo rinfrancò e gli sciolse ogni dubbio.

Sul grande schermo un video scandiva il conto alla rovescia di un Big Ben d'epoca, registrato. Quello vero era ancora in restauro, quasi invisibile sotto altissime impalcature, mummia faraonica ormai da qualche anno. Il filmato fu un colpo di genio degli organizzatori. Non potevano certo mancare i rintocchi del campanile più famoso del mondo quando alle 23 di Londra, la mezzanotte di Bruxelles, lo storico momento fu annunciato. Esplose l'entusiasmo della piazza.

"Siamo fuori dell'Unione europea! *We did it!* Ce l'abbiamo fatta!" urlò il presentatore. La folla innalzò un possente grido di guerra prima di ricomporsi e intonare *God save the Queen*. La chitarra elettrica del solista della band sul palco diede il via. Un Jimi Hendrix con bombetta suonò l'inno nazionale. Dove tante altre volte, negli anni precedenti, erano arrivati centinaia di migliaia di cittadini filoeuropeisti a manifestare con le loro bandiere blu, adesso era invece il popolo di Brexit a dire l'ultima parola. Padroni della piazza e della storia. Mentre a Bruxelles si ammainava la Union Jack, a Londra i rintocchi del Big Ben – vero o falso poco importava – sancirono lo storico momento. Dopo quasi mezzo secolo il Leone d'Inghilterra tornava a ruggire da solo. Indipendente. Libero. George prese Allegra per mano e si fece strada nella folla, guidandola con gentile fermezza. Tra canti e slogan, la gente cominciò lentamente ad andarsene, sciamando ciascuno verso casa. Lei si lasciò accompagnare volentieri.

"Tutto bene con l'uomo misterioso?"

Erano trascorse alcune settimane dal glorioso Brexit Day e anche al giornale ormai si interrogavano sulla sua nuova relazione. Allegra stava lasciando tracce inequivocabili. Se in passato viveva in ufficio, facendo orari assurdi, uscendo soltanto per appuntamenti e incontri, adesso lavorava molto più da fuori. Per telefono. Da casa o altrove. Adesso non prendeva subito le chiamate. Rispondeva alle mail in ritardo. Mai successo prima. Evidentemente aveva la testa altrove. La domanda dunque era legittima. Non ci voleva molto a indovinare.

Se quella del suo amico Charlie era una curiosità genuina e garbata in bocca a Maggie, la più pettegola, maligna e ficcanaso di tutta la redazione, la stessa domanda assumeva un tono che non le piaceva per nulla; "Tutto bene con l'uomo misterioso?" Alla collega aveva risposto con un sorriso enigmatico. Una brava giornalista non rivela mai le sue fonti. E nemmeno i suoi amanti. Che spesso coincidevano, come molte redattrici e molti redattori del *Times* avrebbero potuto testimoniare. In questo modo aveva però finito per far credere a tutti che il suo attuale compagno fosse un personaggio pubblico. Identità da mantenere segreta. Causa moglie ufficialmente ancora presente? O fidanzata stabile e stabilmente tradita? Un copione già visto.

Allegra aveva accettato altre volte il ruolo dell'amante. Ovvi gli svantaggi: la solitudine, l'assenza. Lei preferiva però vedere l'indubbio vantaggio di una libertà senza condizioni. Nessun riconoscimento. Nessun impegno. Quelle situazioni le ricordavano il motto della Rivoluzione americana. *"No taxation without representation."*

Relazioni *light*, come le sigarette. Spesso strumento di lavoro per ottenere informazioni riservate. Come quando aveva passato notti clandestine con un ministro dell'ala oltranzista pro Brexit, inviso al Premier e al resto del partito. Nome in codice *Schatzi*, alla tedesca. Chissà perché lo eccitava. L'austero uomo di governo si scioglieva quando lei lo chiamava così. *"Schatzi*, sei un tesoro." Bastava un nomignolo sciocco a blandire l'ego dell'amante sempre in cerca di conferme. Lui capiva bene quanto davvero lo fosse, un tesoro, per la giornalista a caccia di indiscrezioni. Prezioso come uno scrigno pieno di notizie. Stava al gioco, rischioso. Era durata poco. Giusto il tempo della campagna referendaria, con le sue occasioni galeotte, in giro per il Paese e lontano dalla moglie.

Con George avrebbe potuto finire anche prima. Tutto faceva pensare a una *one night stand*, una notte d'amore passeggero tra adulti consenzienti. Gloriosa conclusione del Brexit Day. Apoteosi di vittoria celebrata anche a letto. Al risveglio nel piccolo ma modernissimo bilocale di Allegra, dove alla fine si erano rifugiati, avrebbero potuto dirsi addio con educazione, senza rimpianti.

"May I see you again?" Posso rivederti? le aveva invece chiesto George guardando fuori dalla vetrata, gli occhi fissi verso il profilo dei grattacieli, per lasciarla libera di rispondere. Il tono era determinato ma tranquillo. C'era desiderio ma anche rispetto. Sicurezza di sé.

"Perché no." Per una volta Allegra non voleva chiudere. Non voleva dirsi fin da subito che tanto non avrebbe funzionato. Che non era il momento, che aveva altro di cui occuparsi. Non voleva vedere per prima cosa quello che non andava: i calzini corti e la barba malfatta di quell'uomo che non conosceva. Per una volta aveva aperto la porta. Voleva continuare a tenerla almeno socchiusa. George le sembrava forte ma privo di arroganza. Non intimorito dalla donna indipendente che era. Evidentemente più ricca, appartenente a un mondo diverso. Finalmente lui tornò a guardarla, appoggiata al bancone della cucina all'americana, mentre sorseggiava un lungo *white coffee*. Sotto la sua vestaglia George intuiva quel corpo che aveva conosciuto all'improvviso, a sorpresa. Solo allora aveva modo di ammirarlo, di indovinarlo meglio.

Era riuscito anche lui a tenere a bada la diffidenza verso quel tipo di donna. Ne aveva incontrate a schiere, nelle sue corse londinesi con il taxi. Di solito gli suscitavano solo indifferenza. Alcune anche fastidio, così, sempre di fretta, inchiodate al cellulare, sprofondate sul sedile posteriore ma sempre in posa. Immancabilmente attente a sollevare un minimo angolo di gonna. Donne in carriera, donne importanti, donne sbrigative e scortesi. Ignare del prossimo, tanto più di tipi come lui, separato dal divisorio di plexiglass e da un abisso sociale. Con Allegra si era lasciato trascinare dall'entusiasmo della festa e dalla stanchezza per se stesso. Stanco dei suoi soliti ripensamenti, delle sue tormentose incertezze. Troppo pesante il bagaglio di relazioni sbagliate, una in particolare. Sbagliatissima. Sentiva riaffiorare la paura di ripetere gli anni della sottomissione e dei sottili abusi subiti da donne manipolatrici.

Questa volta però le sue autodifese erano ormai in disarmo. Arrivavano troppo tardi. La magia di quella notte, la sorpresa di ritrovarsi forte e sicuro a guidare quell'affascinante sconosciuta lo trattennero dal rovinare tutto. Fu bravo a dissimulare titubanza e sfoggiare solo sicurezza. "Ma a una condizione," aveva aggiunto lei un attimo dopo. "Vengo io da te."

Mossa scorretta. Voleva fargli subito scoprire le carte. Allegra otteneva così due risultati: spingerlo a rivelarsi, a chiarire eventuali carichi familiari o sentimentali, e mettere se stessa al riparo da curiosità future, a partire da quelle del *concierge* che controllava il viavai del suo palazzo. Ciò che si sentì rispondere le piacque molto.

"*Sure*, certo, anche se dovrai fare un po' più di strada!" Nessuna moglie o compagna, dunque. La risposta di George era stata pronta. Senza esitazioni, senza pensieri nascosti.

"Ci sentiamo. Ti mando l'indirizzo, per quando vorrai. Adesso devo correre," concluse lui finendo di rivestirsi.

Era una mattina tersa. Allegra aveva ancora tempo per leggere i giornali a casa, sul tablet, prima di uscire a sua volta per un paio di appuntamenti.

Le settimane seguenti dimostrarono che quella sarebbe potuta essere davvero la storia ideale per entrambi. Nessun problema nel mantenerla clandestina. In stand-by. Temporanea. "*No strings attached,*" senza legami, senza vincoli. Tutti e due, per motivi diversi, preferivano che fosse così.

Lei non poteva certo raccontare al giornale, al club, nelle serate con amici, giornalisti e politici di avere come amante un camionista dall'accento *Cockney*. Le fughe a casa di George, durante la settimana o nei pochi weekend in cui lui non era in viaggio, erano un alibi perfetto. Scompariva e lasciava agli altri di immaginare ancora un volta il profilo di un amante potente, forzatamente misterioso. Fantasie di incontri in lussuose ville nella campagna del Kent o del Surrey. O meglio ancora in favolosi resort, discreti e forniti di *spa*, prenotati su *Secret Escapes*, il sito di alberghi garanzia di lusso e discrezione. Mai avrebbero pensato al giornale che la destinazione delle sue notti d'amore fosse una modesta casa a schiera di Bromley. In ufficio Maggie cercava di indagare. Senza successo. Il mistero continuava, la reputazione era salva.

Anche George preferiva un'amante libera e part-time. Già aveva avuto problemi, da tassista, per gli orari strani e le chiamate improvvise. Da camionista era ancora peggio, lunghi tragitti e trasferte di giorni. Gli andava benissimo una donna che teneva le distanze, non pretendeva stabilità, non chiedeva né imponeva onnipresenza.

E in effetti per Allegra era davvero così: quanto più la relazione era improbabile, quanto più appariva palesemente a tempo, tanto più lei se la godeva. Si liberava di ogni preoccupazione. Si lasciava andare alla gioia del legame e alla libertà di sentirlo a termine. Non vedeva la contraddizione. Più sapeva che sarebbe finita presto, più stava bene. Con George fu come tornare alle cotte adolescenziali. Prima dei doveri, degli studi, dell'apparire, della carriera, del successo.

Quando lo raggiungeva nel piccolo appartamento di Bromley e saliva con cautela le scale che cigolavano persino sotto lo strato di moquette verdina consunta, si era già lasciata alle spalle le tensioni dei *briefing*, di Downing Street, delle telefonate, molte a vuoto e molte riservate. Laboriosamente confidenziali. La fatica di trovare il taglio giusto dell'articolo. La lotta per difendere il proprio spazio in pagina.

La mezz'ora di treno per arrivare da Charing Cross al sobborgo a sud est di Londra segnava anche fisicamente un taglio netto. Durante il viaggio poteva controllare email e notizie sul tablet, ma almeno si allontanava dalle scorie del giornale. Cominciava a disintossicarsi. A entrare in un'altra dimensione. Dove esistevano solo lui e lei. Non le dispiaceva raggiungerlo, anche se c'era sempre il rischio di incontrare qualche conoscente che abitava in Kent o ancora più a sud.

Bromley, un quartiere grande come una città. Pessima fama ma aspetto gradevole. Ancora molto verde, nonostante l'invasione degli immancabili centri commerciali, dei capannoni industriali, delle tangenziali e degli enormi parcheggi. Strategica posizione per George. Se non doveva caricare il camion in depositi più in centro, da Bromley era già fuori Londra in poche miglia. Pronto a viaggiare in tutto il Sud Inghilterra o attraversare la Manica. Il porto doganale di Ebbsfleet era poco distante. Le autostrade verso Dover e Folkestone pure. Il suo bilocale era più grande del pur milionario appartamentino di Allegra. Casetta a schiera. Due appartamenti. Il suo al primo piano. Quello al pianterreno era occupato dai proprietari dell'edificio. Una coppia anziana. Commovente vederli insieme, nei giorni di sole, occuparsi del giardino. Pareti di cartongesso. Ogni rumore le trapassava. Allegra si eccitava all'idea che le loro avventure notturne fossero seguite in diretta dai vicini. Conferma ne era lo sguardo complice della padrona di casa quando la incrociava sulla porta d'ingresso. Quello dell'anziano marito era più insinuante. Malizioso. "Mi chiedono spesso di te," le riferiva George, sornione. "Brava gente, mi hanno affittato la casa senza scadenze ed eccomi ancora qui dopo anni."

Nemmeno il gelo della pandemia aveva raffreddato i loro incontri. Anzi, li aveva resi ancora più complici e festosi. Il brivido della trasgressione. Una reazione alla cappa di morte che si allargava veloce, letale alta marea che saliva dal Continente. Prima le notizie dalla Cina, troppo remote per essere prese sul serio. Poi quelle dall'Italia, allarme inascoltato nel resto d'Europa e ancora di più Oltremanica. Allegra ritrovò in quei giorni lo spirito ribelle della ragazzaccia di provincia pronta a beffare l'emergenza per raggiungere l'amante. Perché drammatizzare se lo stesso Premier minimizzava? Solo più tardi, di fronte all'ecatombe, anche in Inghilterra tutti capirono.

Il primo lockdown fu annunciato all'improvviso dal governo. Era un venerdì sera, nell'ora in cui pub e ristoranti erano già pieni di clienti. La minaccia era grave, si respirava ovunque. Incredulo lo stesso Premier nel dare l'inaudito ordine di tornare a casa. Evitare contatti. Diktat così lontano dalle abitudini liberali e libertine sue e del Paese. Per mesi fu quella l'unica protezione contro il virus. *Stay Home, save the NHS,*" ripetevano incessanti gli avvisi pubblici. Pochi i controlli, ma a uscire di casa senza motivi validi si rischiavano multe salate. Così i viaggi di Allegra a Bromley assunsero ancora di più il tono di illecite scappatelle. Non si nascondeva da un marito geloso, ma dalla legge.

Come giornalista apparteneva anche lei a una categoria riconosciuta di *key workers*. Lavoratori essenziali, quindi autorizzati a circolare. Questo George non lo sapeva. La prima volta fu così una doppia sorpresa. Mascherina e guanti, quasi non la riconobbe controllando dalla finestra chi aveva suonato il campanello. La risata di Allegra fu quella sera ancora più squillante. I suoi baci ancora più appassionati.

"Siamo proprio amanti clandestini," sorrise lei.

"Infatti ti arresteranno prima o poi," replicò George. In effetti un paio di volte anche lei rischiò di fare la fine di quel consigliere medico del governo che aveva sottoscritto le misure restrittive violandole personalmente subito dopo: venne fotografato mentre furtivo riceveva in casa la fidanzata.

Allegra almeno non avrebbe rischiato il posto di lavoro. Al massimo una multa. George la guardava stupito, orgoglioso di quell'amazzone che gli stava stravolgendo la vita. Con il lockdown i parrucchieri dovettero chiudere. I capelli di lei crebbero ancora più ribelli. E seducenti. Lui li scostava con desiderio, una foresta da esplorare.

Le passeggiate insieme nei boschi, ai margini del Kent, davano loro il senso di una giovinezza ritrovata. Il profumo del muschio umido, i raggi del sole che tremolavano nell'attraversare il fitto fogliame. Sensazioni elementari nella natura, momenti semplici. Le uscite solitarie o con persone conviventi non erano mai state proibite, nemmeno nelle settimane di restrizioni più drastiche. L'aria pungente delle mattinate primaverili li rincorreva mentre salivano i ripidi pendii delle colline fitte di querceti. Le enormi radici degli alberi li accoglievano nelle rare soste. Seduta su un ceppo o su un pollone più sporgente degli altri, Allegra lo guardava. Come lo vedesse davvero soltanto allora. Prendeva confidenza con il suo profilo, come fosse la prima volta. I capelli sale e pepe, le sopracciglia scure, le guance scavate.

Grazie allo *smart working* Allegra si permetteva assenze molto lunghe dalla redazione. George aveva potenziato la linea Internet. Se ci fosse stato qualche albergo aperto avrebbero osato anche fughe più lontano senza che nessuno potesse ridire nulla.

"Motivi di lavoro," avrebbero potuto millantare entrambi, spostandosi col camion. Ma pub, ristoranti, alberghi erano tutti chiusi. Così restavano nella loro tana, lontani dalle sirene delle ambulanze, dagli infermieri e medici con le tute da astronauti. Protetti da tanti drammi e dolori che visti solo in TV sembravano irreali, anche se avvenivano dietro l'angolo di casa. Felici di essere in due. Unica precauzione per lei, sfocare il background durante le conversazioni video. Altrimenti qualche domanda sarebbe sorta naturale ai colleghi nelle riunioni di redazione online.

Nel tempo sospeso della pandemia la loro relazione sarebbe potuta durare all'infinito. Allegra ne era rassicurata. Il loro mondo parallelo era per il momento protetto e difeso. Non si sarebbe dovuto scontrare subito con la rete di amicizie di lavoro, con le convenzioni sociali, con gli impegni e le frequentazioni imposte dalla sua professione pubblica.

La realtà di quel tempo tragico era comunque fuori dalla porta. Scorrevano sul suo tablet le statistiche dell'orrore. I morti a migliaia, poi a decine di migliaia. Le terapie intensive sopraffatte. Gli appelli del governo sempre più restrittivi, sempre meno rispettati. Le varianti e i vaccini. La guerra con l'Europa per le forniture. Tutto sfumava sullo sfondo della loro modesta ma blindata alcova. Solo il calendario segnava il passare dei giorni. Il loro tempo era dilatato. Ogni impegno rinviato. La clandestinità in fondo valeva per tutti. Chiusi in casa, mascherati fuori, Allegra e George godevano di se stessi e della propria fortuna.

"Sarei impazzita di inedia e solitudine se non ci fossimo incontrati," gli diceva. "E tu avresti fatto qualche sciocchezza di sicuro..." aggiungeva. Anche George continuava infatti a lavorare, anche se con ritmi più blandi. Frenato da lei, che lo voleva per sé. Lo metteva in guardia, si preoccupava: "Non correre rischi... Tanti tengono la mascherina abbassata, evita strette di mano, stai lontano da tutti." Soprattutto dai magazzinieri distratti e dai doganieri incuranti.

Preoccupazioni legittime. George non aveva più nessuno, tranne un figlio adolescente che lo ignorava. Allegra nemmeno quello. Genitori morti, niente fratelli o sorelle. Avevano soltanto loro stessi.

Stavano per cenare. Prima di tutto un brindisi. George sollevò il calice di rosso e cominciò il racconto. Poi fece una pausa, per tenerla in sospeso. Lei brindò e rise. Una risata delle sue. Sopra le righe. Per una volta semplicemente sincera.

"*Yes*, è andata così," disse lui.

"*No way!*" esclamò Allegra. Un po' perché non ci credeva, un po' perché intuiva che dietro quella bravata ci doveva essere molto di più. Un dolore profondo, un sentimento vero. Dunque all'assalto di Buckingham Palace, una quindicina di anni prima, aveva partecipato anche George. Lei si ricordava bene quell'episodio immortalato da TV e giornali. Forse l'iniziativa più famosa dei *Fathers4Justice*.

"Eravamo in tre nel commando," riprese a raccontare George. "C'ero anch'io assieme a Jason e al basista che ci copriva all'esterno." Pronti alla clamorosa azione di protesta: scalare la facciata di Buckingham Palace. L'assenza della regina e del principe Filippo, come ogni estate in vacanza in Scozia, rendeva più rilassata la sorveglianza di palazzo.

Era un tiepido pomeriggio di inizio settembre. Un soprabito leggero copriva e nascondeva i costumi.

"Jason era il leader, vestito da Batman. Io ero Spiderman."

"Come nei fumetti," lo prese in giro Allegra che ricordava la foto in prima pagina: Batman in piedi su un cornicione di pietra della reggia londinese. Era riuscito a srotolare anche uno striscione per ricordare la battaglia dei "papà per la giustizia". L'organizzazione era al culmine della notorietà, dopo una serie di acrobazie per attirare l'attenzione sui diritti negati ai padri separati. Ma quella di Buckingham Palace fu in assoluto la più clamorosa e irriverente. Solo dopo alcuni minuti, sul balcone a fianco dell'uomo in costume comparvero un poliziotto e due funzionari. Batman si spostò un paio di altri metri verso l'esterno, sul cornicione largo e saldo, in modo da non essere raggiungibile. Le trattative durarono ore. Le TV di tutto il mondo ebbero tempo di mandare le telecamere e i furgoni per le dirette.

Allegra, seduta in bilico sul bordo della sedia, impaziente, aspettava il resto della storia.

"Dovevamo salire tutti e due sulla facciata. Avremmo retto lo striscione dai due lati per tenerlo dritto e bene in vista. C'era scritto SUPERDADS. Era dedicato a tutti noi," spiegò George. "Fuori dal palazzo ci siamo distanziati di una cinquantina di metri, in modo da scavalcare il cancello separati. Così c'erano meno probabilità di essere bloccati tutti e due. Il terzo complice ci avrebbe aiutato restando fuori. Era spostato più verso Jason e gli ha dato il via libera al momento giusto. Ma non ha visto un poliziotto di ronda che invece era dalla mia parte. Anch'io sono scattato arrampicandomi sulla cancellata e sono saltato dentro, ma mi sono ritrovato quell'agente a un passo. Ho aperto il soprabito per mostrare il costume. Immaginavo che fosse armato. Rischiavo che mi credesse un terrorista. Mi ha buttato a terra. Con la coda dell'occhio ho visto Jason che già stava salendo sulla facciata. È un free-climber, gli interstizi tra i lastroni di pietra di Buckingham Gate erano un appiglio perfetto per le sue dita. Non ho opposto resistenza. Avevo già commesso un reato entrando, bastava quello. Così, mentre lui si piazzava sul cornicione e mostrava lo striscione un po' sbilenco, io venivo portato via in manette."

Allegra rise, prendendolo in giro: "Hai perso il tuo quarto d'ora di notorietà." Dovette spiegargli la frase di Andy Warhol. George la guardò perplesso, un po' offeso. Poi si mise a ridere anche lui.

"Già, tutte le foto sono di Batman con lo striscione. Di me niente. Jason è stato bravo. Ci sono volute ore per farlo scendere. Un po' gridava i nostri slogan, un po' chiacchierava con i dirigenti di polizia che cercavano di convincerlo a venir giù. Nessuno voleva far precipitare la situazione. Erano arrivati giornalisti e cameramen. Scotland Yard voleva evitare martiri e gli agenti puntavano sulla persuasione. Noi puntavamo invece a prolungare al massimo il momento di pubblicità. È stata un'azione clamorosa."

"E poi?"

"Per la cauzione si sono tassati tutti i soci e alla fine ci hanno rilasciato. Alla conferenza stampa c'ero anch'io. Ma ormai per tutti la star era soltanto Jason."

Ad Allegra era chiaro che quella bravata non fosse stata dettata dalla ricerca di notorietà. George si ritrasse quando lei gli accarezzò di nuovo la guancia, sempre un po' ispida anche a barba appena fatta. Lui abbassò lo sguardo. Si richiuse per un attimo nei suoi pensieri. Aveva atteso settimane prima di raccontarle la militanza nel gruppo di padri defraudati. La legge quasi non li considerava come genitori. Erano padri separati o padri solo naturali, accomunati dal mancato diritto di vedere i figli. Mille i motivi addotti: talora fondati, più spesso creati ad arte dal genitore che aveva la custodia. Al 99 per cento la madre. Così venivano tenuti a distanza anche padri senza precedenti penali, senza episodi di abusi o violenza familiare, senza scheletri nell'armadio. Uomini che avrebbero voluto essere presenti nella vita dei figli erano invece allontanati e disorientati da tattiche dilatorie. Ostruzionismo legalizzato. I casi venivano discussi dai giudici delle *Family courts* in udienze segrete. Il genitore non affidatario si trovava di fronte al fatto compiuto. Comunicazione a fine udienza. Senza appello.

"Ci siamo anche divertiti molto," cercò di sdrammatizzare George alla fine del racconto di quegli anni avventurosi. Per l'assalto a Buckingham Palace alla fine i possibili capi di imputazione erano stati archiviati. "Mica uno scherzo, rischiavamo condanne per violazione di domicilio, resistenza a pubblico ufficiale, attentato alla quiete pubblica. Tutti però hanno capito che era un grido di dolore e di allarme. Un'iniziativa di denuncia. Forse anche la regina ci ha guardato divertita dal suo castello scozzese. Avevamo scelto bene il periodo," concluse. Si era saputo in seguito che la sovrana aveva chiesto una severa revisione delle misure di sicurezza del palazzo.

Allegra era sinceramente stupita. Un uomo dalle mille sorprese, pensò. La cena poteva aspettare. Voleva saperne di più. Di quel figlio, Jonas, nato da una breve antica relazione, George le aveva già parlato. Non si era nemmeno sorpresa quando le aveva detto che non lo vedeva mai. Molte, troppe le situazioni simili. Nessuna visita, niente tempo passato insieme. Jonas ormai era quasi maggiorenne. Continuava svogliatamente la scuola. Faceva la sua vita. Col padre non era in conflitto: lo ignorava e basta. Come aveva sempre fatto. Come era sempre stato spinto a fare.

La storia di Buckingham Palace aveva acceso la curiosità di Allegra. La battaglia combattuta per anni da George era tutta da scoprire. Gli facevano onore la tenacia, la testardaggine, l'affetto per quel figlio rimasto un estraneo. A cosa era servito tutto ciò? George non ne parlava volentieri. Chi doveva sapere sapeva. E gli altri non facevano parte di quella storia. Tranne lei in quel momento. Lui andò avanti a raccontare, ignorando il pollo al curry ormai freddo.

Allegra non aveva mai avuto una relazione tanto seria e impegnativa da pensare a figli. Lo guardava cercando di leggere nel suo racconto chi davvero fosse quell'uomo. Un ingenuo che si era fatto incastrare in pochi mesi d'amore? Un eterno Peter Pan a disagio di fronte alle proprie responsabilità? Oppure l'opposto, uno *stalker* che voleva imporsi anche quando nessuno lo voleva? La semplicità di George era disarmante: "Un bambino ha solo un padre. Almeno naturale. Io per lui ci dovevo e volevo essere." Per questo aveva combattuto una prima battaglia per il riconoscimento. Julie, la madre, aveva partorito senza informarlo di dove e quando era nato il bimbo. Lo aveva registrato solo a proprio nome. Lui aveva lasciato correre. "Era già stressata da quella gravidanza e dal parto, non era il momento di interferire," continuò il suo racconto. Ma la burocrazia faceva parlare solo le carte. Quindi l'iniziale mancato riconoscimento era pesato sul futuro. Nemmeno i soldi che le mandava furono considerati prova del suo interessamento. Dopo qualche tempo lei aveva chiuso il conto bancario e tagliato ogni ponte. Per anni George non aveva potuto vedere il figlio.

Solo grazie all'esame del DNA alla fine il giudice riconobbe la paternità. Ma ci volle un'altra causa per ottenere anche i diritti di visita. I soldi per gli avvocati scarseggiavano. George si svenava per quelle azioni legali e comprometteva anche la sua vita. Nuove fidanzate gli chiedevano di lasciare perdere: non capivano i suoi motivi, pensavano a quello che sarebbe rimasto per loro, per la loro vita insieme, dopo il pagamento di tutte le parcelle. Intanto Jonas cresceva. Finalmente arrivò il diritto di visita. *Supervised*, sotto lo sguardo di un'assistente sociale. Incontri in ambienti squallidi, divano liso e qualche gioco sul tappeto. Erano chiaramente una tortura per il bambino e una gabbia per George, che non sapeva cosa fare né cosa dire, con quel figlio che gli era sconosciuto. Il mondo era fuori. Una giornata di sole. Irraggiungibile. Confinati in quegli spazi anonimi. Molti incontri rinviati all'ultimo momento, malattie vere o presunte. Oppure ridotti a pochi minuti per le crisi di pianto del bimbo:

precipitato in un ambiente totalmente estraneo, alieno, voleva giustamente soltanto tornare a casa, dalla madre.

George raccontava e Allegra lo guardava in silenzio. Un sorso di vino rosso ogni tanto frenava la commozione. Era stato inevitabile per George unirsi ai *Fathers4Justice*. Almeno Jonas avrebbe avuto il ricordo di quella sua battaglia, avrebbe potuto conservarlo dentro di sé. Magari anche grazie a una foto sui giornali. Respinse le lacrime un paio di volte.

In fondo gli pareva di poter dire di essere stato in qualche modo presente, anche a distanza, per quel ragazzo che nel frattempo cresceva con altri padri di passaggio. Quante volte era andato ad aspettarlo fuori dalla scuola senza nemmeno farsi vedere. Un po' perché non gli era permesso, un po' per pudore. Gli bastava che Jonas sapesse chi era. Che suo padre c'era per lui. Questa era stata la sua battaglia.

"Anche se non è cambiato nulla, credo in fondo d'averla vinta," confessò ad Allegra. L'indifferenza con cui era sempre stato ricambiato non lo umiliava.

"Una grande ingiustizia," disse lei.

"Infatti non è giustizia. È solo amore. Si dà, non si chiede né si impone."

Una stilla di piombo fuso a lacerare la coscienza. Allegra si alzò, fece il giro del tavolo. Gli depose un bacio casto. Bruciò sulle loro labbra più dei morsi voraci che si scambiavano a letto. Rischiava di innamorarsi davvero. Il pollo al curry riscaldato al microonde si rivelò delizioso.

14

Allegra trascorreva da lui periodi sempre più lunghi. Nel piccolo appartamento di Bromley riusciva comunque a lavorare, le bastavano il cellulare e il computer portatile. Cucinavano a turno, entrambi abituati alla propria vita da single. La convivenza per una volta non le pesava. George era spesso fuori col camion, anche se a ritmo ridotto. Ritrovarsi al suo ritorno era una gioia ancora più grande.

Il racconto di Buckingham Palace l'aveva scossa. Colpita profondamente. Voleva saperne di più. George dopo essersi confidato quella prima volta raccontava e poi raccontava, come si liberasse finalmente di un fardello. Il dolore per quel figlio assente non diminuiva, anzi.

Jonas infatti più cresceva più spariva. Aveva tagliato i ponti ancora più nettamente di prima. "*Fair enough*. Si vendica degli anni in cui è stato costretto a vedermi controvoglia," lo giustificava George. "Non è più soltanto la madre a fare ostruzionismo. Adesso è lui che decide: non gli interessa vedermi. Sono inutile. Irrilevante." Le poche volte in cui si sentivano per telefono, il figlio per prenderlo in giro lo chiamava *Father4Justice*. George non sapeva se arrabbiarsi o esserne contento. Evidentemente almeno quella battaglia aveva lasciato il segno. Lo distingueva così dagli altri *fathers*, i numerosi compagni della madre che padri erano stati solo part-time. Ormai le uniche notizie sul figlio riusciva ad averle a malapena dai social. Bannato da amicizia o altri accessi, cercava comunque di sapere qualcosa di Jonas dai suoi post su Facebook o Instagram. Ogni invito a vedersi e a frequentarsi cadeva invece nel vuoto. Nessuna risposta, nessuna considerazione.

Allegra era sconcertata da quell'assoluta indifferenza. La trovava innaturale. Immotivata. "Si fa del male da solo quel ragazzo... quanta vita persa," aveva commentato una volta. George l'aveva guardata senza rispondere. Capì che lui era ancora in attesa. A quell'attesa aveva sacrificato ogni altra eventuale vita familiare possibile. O forse era stato un alibi. Comunque, una ferita aperta. E lei non voleva vederlo soffrire.

Così continuava il loro incantesimo. Il dramma del lockdown aveva fermato in un lungo fotogramma la loro storia d'amore. Quando George era fuori per giorni col camion, Allegra ne approfittava per tornare nel suo monolocale in centro. Si faceva vedere velocemente al giornale, mascherina sul volto, per non perdere tutti i contatti. Altrimenti correva da lui. Spensierato limbo di una passione che nulla sembrava minacciare. Non i timori del virus, che pure mieteva vittime come la peste. Le passeggiate erano consentite, ma le visite a casa di un estraneo non convivente erano ormai vietate del tutto. La *press card* l'aveva salvata almeno una volta. Due agenti in servizio a Charing Cross le chiesero i motivi del viaggio. Dove era diretta. Perché. Un paio di bugie. Rapido controllo della tessera stampa e via libera.

Le uniche ombre erano quelle che si agitavano nella testa di George, preoccupato per lo stipendio. "Per fortuna la ditta fa trasporti alimentari," rifletteva. "Hanno già chiuso l'attività in tanti. Se questa storia del Covid va avanti finiremo tutti a piedi." I supermercati e i negozi alimentari erano ovviamente rimasti aperti anche nei lunghi mesi di lockdown. Le spedizioni dunque continuavano, ma erano diminuite anche nel suo settore, soprattutto da e per l'estero. Le misure preventive contro la pandemia rallentavano il lavoro. Test anti Covid e rischio quarantena se venivi trovato positivo.

Il supplemento di burocrazia per le nuove pratiche doganali post Brexit faceva il resto. "Doveva essere tutto come prima. Hanno fatto un accordo di libero scambio, no?" sbottava George, anche con Allegra, quasi la considerasse un po' responsabile di quei disservizi visti i suoi incontri o colloqui con ministri e altre autorità. Sfoghi sempre più frequenti. "Vogliono farcela pagare. È la vendetta di Bruxelles perché ce ne siamo andati. Le cose forse col tempo andranno meglio, per ora però ci mettono solo i bastoni tra le ruote. *Free trade? Bullshit.* Hanno moltiplicato la burocrazia e quindi i costi. Moduli su moduli. Chi deve andare avanti e indietro con la merce diventa pazzo."

Lucidissimo nella sua invettiva, George sapeva quello che diceva. Si sentiva in prima linea. Erano i camionisti a sopportare ogni giorno le lungaggini dei nuovi controlli. C'era voluto più di mezzo secolo per armonizzare nel mercato europeo gli standard di norme e prodotti. Per avere un coordinamento sull'IVA. Per ridurre a zero o quasi la documentazione di viaggio. Uscire da quel sistema semplificato aveva peggiorato la vita a tutti. Spedizionieri, autotrasportatori, doganieri. Per non parlare dei controlli sanitari. Era di nuovo necessario ottenere l'ok del veterinario a ogni spedizione di carne e pesce. Così le aziende dovevano pagare le autorizzazioni e i camionisti aspettare che tutto fosse a posto. E sperare che i documenti andassero bene anche ai doganieri sull'altro lato della Manica. Un delirio di cui sui giornali non c'era quasi traccia.

I danni di Brexit venivano messi nel grande calderone della pandemia. Ogni ritardo nelle consegne, ogni commessa e contratto mancato: ufficialmente tutto era attribuito a lockdown e virus. Nulla invece ai chiarissimi effetti perversi di Brexit. "È come contare insieme le pere e le mele," diceva George. Per lui era lampante che l'uscita dal mercato unico era stata amministrata male. Era l'Europa che metteva le barricate. E a Londra il governo calava le braghe davanti alle pretese di Bruxelles. "Maledetti burocrati. Quelli ci vogliono rovinare la vita."

Allegra lo guardava pensando alle tante volte che aveva sentito quegli stessi argomenti dai politici di Westminster. Prima le rassicurazioni che nulla sarebbe cambiato. Anzi: *"Brexit will be a success."* Poi, invece, le lamentele per come le autorità europee stavano applicando gli accordi. "Atteggiamento punitivo, ricattatorio," dicevano a Downing Street. Allegra cominciava ad avere i suoi dubbi, rafforzati adesso dal racconto di qualcuno che amava e che della nuova situazione pagava il prezzo sulla propria pelle. George tornava dai viaggi furibondo. Allegra lo guardava solidale. Era sempre convinta che ascoltare la volontà popolare e abbandonare l'Unione europea fosse stata la cosa giusta. Ma non era sicura che quelle conseguenze fossero davvero inattese. Serpeggiava in lei il sospetto che i danni al commercio fossero facilmente prevedibili. Da mettere in conto. Inevitabili. Non una punizione divina né una ritorsione di Bruxelles. Chi aveva portato il Paese fuori dal mercato unico semplicemente non se curava. Li considerava danni collaterali. Ci sarebbero stati altri vantaggi. Mani libere per l'*élite* al potere a Londra, una volta fuori dalle norme e dai controlli europei. Riflessioni che lei teneva per sé. A chi doveva affrontare quotidianamente le conseguenze dell'uscita, George incluso, non sarebbero piaciute.

15

Di camicie in vendita non se ne trovava nemmeno una. Allegra cercava una soluzione che non fosse quella di comprare online, quasi alla cieca. Erano tempi cupi, ma almeno una camicia nuova gliela voleva regalare. Più moderna e di classe rispetto alle vecchie a quadretti che costituivano la quasi totalità del guardaroba di George. Per non parlare di quelle a maniche corte che ancora spuntavano appese nell'armadio. La chiusura dei negozi era una cosa seria. Non c'era verso di trovare un capo di abbigliamento in tutta Londra. Lei però voleva festeggiare quel primo anno insieme. Lo voleva nonostante il clima plumbeo che dominava la città, l'intero Paese. Nonostante le cifre raccapriccianti dei morti da Covid che aumentavano in Inghilterra come in nessun'altra parte d'Europa.

Londra era paralizzata nel vuoto di un incantesimo maligno. Le strade del centro erano le più deserte. Mayfair o la City sono quartieri di uffici, non residenziali. Ad abitarci sono solo stranieri. Vite temporanee. Sempre provvisorie. A Victoria Station, King's Cross o Waterloo l'unica presenza costante era quella dei senzatetto in attesa di un pasto offerto dalla Caritas o dall'Esercito della salvezza. Oxford Street e Regent's Street si allungavano spettrali, sfilate di vetrine sbarrate. Saracinesche abbassate, pannelli di legno a proteggere le vetrate. Quelli che erano stati negozi di lusso con sfolgoranti decorazioni ed elegantissimi azzimati commessi erano adesso una malinconica sinfonia di luci spente e scatoloni dappertutto, come impegnati in un perenne trasloco. I più spiritosi avevano appeso colorate mascherine anti Covid ai volti di polistirolo dei manichini, fantasmi pronti ad accogliere i clienti virtuali del nuovo mondo distopico. Sui marciapiedi rari passanti camminavano solo per distrarsi un poco, non certo per fare shopping. Gli alberghi del centro chiusi. Niente turisti. Niente uomini d'affari. Teatri, ristoranti, cinema: tutto chiuso.

Ma il loro anniversario era alle porte. "Ci vuole un po' di voglia di vivere," diceva Allegra, per convincersi che fosse giusto così, nonostante tutto. Nemmeno le colleghe dell'inserto moda erano state di aiuto, rassegnate alle presentazioni online, viziate dai vestiti omaggio che continuavano a ricevere a domicilio.

La dritta era arrivata alla fine dalla solita Maggie. "Vai a Mayfair," suggerì facendo il nome di una delle stiliste inglesi più famose. "Suona il campanello in orario d'ufficio e chiedi di Joanna. L'avverto io." L'imprevista gentilezza non era arrivata per caso. Allegra aveva dovuto confessare alla collega il problema: fare un regalo al misterioso amante.

"Già un anno... *It's getting serious*, sta diventando una cosa seria!" aveva scherzato Maggie. Consigliando lo showroom clandestino sperava di fare un passo avanti per svelare il nome dell'uomo misterioso. Le confidenze invece finirono lì. Nessun nome, nessun identikit. Con garbo Allegra si sfilò ancora una volta.

Il giorno dopo si presentò all'ingresso di un palazzo settecentesco nel cuore di Mayfair. Il triangolo dello shopping di lusso, all'angolo con Bond Street. Suonò. Chiese di Joanna. Si aprì la porta a vetri dell'ingresso. Allegra passò davanti al bancone della reception. Incustodita. Palazzo all'apparenza deserto. Andò verso gli ascensori. Salì al terzo piano, come da istruzioni. Una nuova porta, un nuovo trillo di campanello. Le aprì una donna di età imprecisata, cordiale ed elegante. Il codice non scritto delle signore della moda. Non indossava mascherina. Il botulino la rendeva simile a qualcuno che Allegra aveva già visto. "Ma le replicanti sono ormai schiere infinite," pensò. "Angeliche, asessuate e senza tempo." Quante ne aveva viste aggirarsi nei quartieri alti di Londra, eternamente uguali a se stesse e alle altre donne della medesima sfera celeste, senza essere minimamente tentata di imitarle.

Più che dagli zigomi della donna, Allegra fu folgorata dal colpo d'occhio del grande salone. Altro che lockdown. Una decina di signore in abiti griffati sceglievano i capi della stilista direttamente da lunghi appendiabiti incrociati in mezzo allo showroom. Fu come scoprire un nido di blatte spostando una mattonella. Tutte inguainate nel loro guscio lucente. Incuranti di divieti, restrizioni e buonsenso. Allegra non aveva notato notizie su interventi della polizia contro vendite illegali di quel tipo. Probabilmente avrebbero potuto tutte millantare di essere *buyers* per catene di negozi. Come con l'alcol ai tempi del proibizionismo, bastavano soldi e conoscenze giuste per aggirare il lockdown. La sua cattiva coscienza si ridestò, in fondo lei non era diversa, no? Ma ormai era in ballo. Chiese se avessero anche capi maschili. Un solo attaccapanni in fondo alla stanza. Fu fortunata. Una camicia elegante, azzurra, colletto button down, della misura giusta. Tanto le bastava. Si fece tentare da un paio di scarpe by Jimmy Choo per sé, ma riuscì a trattenersi.

Il problema fu uscire dal palazzo. La stilista fuorilegge aveva collaudato sistemi a prova di controllo: consegna a domicilio, ovviamente, oppure un *biker* con il pacco che attendeva la cliente a distanza di sicurezza, qualche isolato più in là. Allegra optò per la prima possibilità. Non le andava di girare per strada con il corpo del reato.

Il primo passo era compiuto. Mancava solo il gran finale. Una serata romantica in un albergo esclusivo. In tempi di Covid? Tutti quei lutti, quelle ambulanze con le sirene spiegate per strada. I reparti di terapia intensiva in TV, volti di medici e infermieri disfatti dalla fatica. I parenti tenuti lontani, esclusi dalle sofferenze dei loro cari.

Il bombardamento di notizie terribili. La preoccupazione delle autorità, ancora maggiore dietro le quinte delle notizie ufficiali.

Le fonti di Allegra dipingevano un quadro disastroso. Picchi di contagi inarrestabili. Odore di morte dappertutto. "A maggior ragione almeno per una sera dobbiamo staccare. Goderci quello che possiamo, insieme," si disse. Sarebbe stata una sorpresa. In soccorso le venne ancora la tessera stampa. Facile giustificare per motivi di lavoro una notte in un hotel, ammesso di trovarne aperti. Avrebbe preferito lo Shangri-La, il tetto del mondo su Londra, con le sue camere sopra il quarantesimo piano, la piscina al cinquantaduesimo, una vista mozzafiato. Ma una rapida ricerca restrinse le possibilità a pochi hotel del centro, gli unici a non avere mai chiuso, con drastiche misure anti Covid.

La scelta di Allegra cadde alla fine sul Claridge's di Mayfair. Pieno di storia, con la sua architettura Art déco. Churchill ospite fisso nell'ultimo periodo di vita. Frequentato in passato da famiglie reali e nel dopoguerra dalle *celebrities* di Hollywood. Allegra lo conosceva bene, i saloni erano stati lo sfondo di innumerevoli interviste e presentazioni di film o libri. "Anche una sera soltanto sarà memorabile," pensò. Voleva fare le cose in grande. Gli aveva chiesto di tenersi due giorni liberi prima che qualche spedizione lo portasse lontano da Londra. "Devo pulire casa, allora," aveva buttato lì George per sondare il terreno.

"Non necessariamente," era stata la sibillina risposta.

Chiaro. C'era qualcosa in ballo, pensò lui, nonostante l'atmosfera della pandemia non ispirasse alcuna idea romantica.

Allegra era speciale, e lui non vedeva l'ora di sapere cosa si era inventata. "Fammi sapere," le aveva risposto.

Anche lui non voleva essere da meno. Il loro primo anno insieme. Quella storia gli aveva ridato l'entusiasmo dei primi speranzosi, ingenui innamoramenti. Anche lui l'avrebbe stupita. *"Fuck the virus,"* si fotta la morte col suo puzzo. Tanto velenoso da ammorbare ogni pensiero, ogni progetto, ogni giornata.

Appuntamento sotto casa di Allegra. Per quell'occasione speciale avevano ceduto anche sulla riservatezza. Ma George l'avrebbe prima chiamata al cellulare, come gli adolescenti che non vogliono farsi vedere dai genitori della fidanzata. Lei sarebbe scesa con la sua valigia, e via insieme. Destinazione misteriosa, per quanto riguardava George. La sorpresa più grande in realtà fu quella di Allegra. Davanti all'ingresso del palazzo l'attendeva un motociclista in tuta di pelle. Di moto lei sapeva soltanto che non ci saliva da quando era ragazza.

"No way!" Sfoderò la sua esclamazione preferita. Lo guardò come per accertarsi che fosse proprio lui. Il suo fisico asciutto era ancora più attraente inguainato nella corazza da centauro. Sembrava una lucertola scura. I capelli corti non erano stati nemmeno scomposti dal casco.

"E ora che facciamo?" chiese, sinceramente divertita, guardando la valigia che teneva in mano e pensando al casco che non aveva. Per fortuna indossava un paio di pantaloni, come quasi sempre. Ma le sue belle scarpe di vernice non erano proprio adatte a una corsa in moto.

"Dipende da dove andiamo," rispose lui allegro, ormai sicuro di avere fatto centro.

"Ok, nulla di esotico, è tutto chiuso, ma il Claridge's ci aspetta," svelò lei con un sorriso. Lo spirito del vecchio tassista riemerse in un attimo. Mille volte aveva portato all'hotel di Mayfair attori, attrici, giornalisti, politici, finanzieri, dirigenti di gruppi industriali, diplomatici. Un Gotha globale che si ritrovava nelle stanze e nei saloni vittoriani del grande albergo. Lui non ci era mai entrato, ovviamente. Un pasto al ristorante di Gordon Ramsay gli sarebbe costato giorni di lavoro. Sorpresa pareggiata, dunque: anche George era rimasto di stucco. Per la valigia, soluzione trovata in un attimo: fermò un taxi e concordò a spanne, con generosità, la tariffa per il Claridge's. Pagò in anticipo e la fece portare in albergo. Per lui il cambio – pigiama, biancheria e basta – era nel bauletto. Aveva noleggiato un comodo enduro stradale Triumph da un concessionario che conosceva. Ogni tanto si permetteva il lusso di un giro in moto. Non aveva né i soldi né il parcheggio per possederne una. Tanto bastava. Spuntò anche il casco per Allegra, un jet leggero che non le pesasse troppo. Il giro per Londra sarebbe stato più gradevole.

Lei adesso non rideva più. Si aggrappò titubante alle spalle del suo uomo. Si issò sulla piccola pedana. Ringraziò la palestra e lo stretching casalingo che le permisero di salire in sella con sufficiente dignità. E si mise comoda. La Triumph si accese al tocco di George. Scivolò via morbida. Le marce, senza strappi, accompagnarono la loro corsa tranquilla lungo il Tamigi. Allegra risentì sul volto l'aria della gioventù. Il profumo dell'asfalto, l'odore del fiume, dei parchi. Sensazioni che in auto si perdono. "Tutto bene?" le chiese George. "Tutto più che bene," rispose. Leggerezza, il fresco di un'aria inaspettatamente già primaverile.

George sapeva dove andare. Il lungofiume era meraviglioso. Costeggiare in moto il verde di Battersea Park significava respirare il risveglio della stagione. Sentire gli umori delle piante e dei fiori che stavano sbocciando. Il traffico era più rarefatto del solito. Miracoli del lockdown. Le strade si aprivano senza ostacoli alla guida sicura di George. Sulla destra il cubo translucido della nuova Ambasciata americana, alveare tecnologico, pietra miliare nella sequenza dei nuovi grattacieli di Nine Elms. Allegra li conosceva bene perché percorreva spesso quel tratto di Tamigi nel suo jogging mattutino. In moto li vedeva scorrere come in un unico piano sequenza. I palazzi già completati e quelli ancora in costruzione. Alcuni appena rialzati da profondissime fondamenta. Il lockdown li aveva paralizzati a mezz'aria come relitti.

Allo snodo di Vauxhall, George svoltò verso sud. Uscendo dal centro ecco gli interminabili villaggi con le loro High Streets e i loro negozietti. Le case popolari degli anni sessanta intervallate dalle fila di *terraced houses*. In auto sarebbe stato un percorso noioso. In moto si respirava l'aria di ogni angolo del mondo. Londra a sud del Tamigi è una sintesi dell'intero pianeta Casa di accoglienza per milioni di immigrati. Dalle ex colonie per decenni si erano diretti verso il Paese che prima li aveva sfruttati e poi aveva offerto loro asilo. Generosità interessata. Bisogno di manodopera per le industrie della ricostruzione postbellica. Ai semafori Allegra rassicurava George con la sua presa ferma. Lo stringeva ai fianchi, sentiva il piacere di lui sotto la stretta delle sue dita. Dopo una ventina di minuti capì qual era la meta di quel girovagare. Sorrise. Una volta gli aveva raccontato che i suoi genitori la portavano da piccola nella grande foresta di Sandwell, a nord di Birmingham. Allegra rimaneva incantata a guardare gli animali. Liberi gli uccelli, le oche, le pavoncelle, le beccacce. Libere le pecore e le capre, a vagare incuranti dei picnic e dei loro giochi di bambini di città. Scene che ricordava ora nella maestosità regale del parco di Richmond, con i suoi branchi di cervi che alzavano pigri il muso al passaggio di quegli strani esseri umani appesi sopra due ruote. I daini correvano a fianco della strada, senza dar peso a quell'invasione. George guidava piano. Si godevano lo spettacolo. Il bassissimo limite di velocità era studiato apposta. Il profumo dell'erba tagliata e l'ombra fredda delle macchie di alberi li accompagnarono nel lungo, lento viaggio attraverso il parco.

"Una delle meraviglie di cui dobbiamo essere grati alla monarchia," disse Allegra avvicinandosi all'orecchio di George. Il patrimonio di parchi cittadini probabilmente non sarebbe sopravvissuto se non fosse stato per secoli appannaggio della nobiltà.

Il pomeriggio scorreva veloce. Un fresco vespertino anticipava l'imbrunire. George puntò di nuovo verso la città. Attraversare il ponte di Putney, con le barche attraccate alla riva fu questione di poco. Il traffico era in direzione opposta alla loro, in uscita dalla città. Sfilarono di nuovo sul lungofiume, questa volta sulla riva nord, dove il Tamigi si faceva più ampio. Sulla sinistra le case settecentesche di Chelsea, quelle piene di storia di Cheyne Walk. Facciate rosse e finestrelle strette. Oggi magioni per milionari. Era chiaro che il pilota aveva innestato la marcia turistica. In moto persino la piazza del Parlamento, con il palazzo di Westminster e l'abbazia, sembrava diversa. Più accogliente. Il giro di Trafalgar Square li portò nel cuore della metropoli, così surreale nel silenzio della pandemia. Londra senza frastuono. Londra senza ressa. Le strade in centro erano semivuote. I marciapiedi ancora più deserti.

Mai prima d'allora Allegra aveva visto risplendere così fulgida l'eleganza della Londra ottocentesca. Andava perfettamente a braccetto con i tecnologici grattacieli della City, sbocciati negli ultimi vent'anni. Risaltava come una scenografia. Fondale di teatro senza attori in scena. Il formicaio umano si era ritratto nelle sue viscere. Non ebbe tempo per altri pensieri. Già correvano tranquilli verso la Torre di Londra. Passare sotto le volte del suo ponte dava i brividi adesso che Allegra dal sellino era libera di guardare all'insù. La struttura semovente sopra le loro teste. I possenti tralicci di acciaio pronti a rendere l'onore delle armi alzandosi al passaggio dei velieri. Come nei secoli antichi, quando su quelle acque navigava la flotta militare più potente al mondo. E quella commerciale più globale.

I palazzi di marmo delle strade monumentali li riportarono verso Mayfair. Da Piccadilly Circus risalirono Regent's Street, cristallizzata in una serrata spettrale. George si infilò in un paio di strade minori per sbucare direttamente di fronte al Claridge's. Il trionfo delle bandiere e dei portieri in livrea era quello di sempre. Anche con le mascherine, che tutti indossavano anche all'esterno. La valigia di Allegra era arrivata da un pezzo. La moto fu accomodata in un parcheggio poco distante.

"Abbiamo prenotato una camera doppia per stasera," ricordò lei alla reception. Li stavano aspettando. L'albergo sembrava deserto. Chiuse le grandi sale del bar e del ristorante. Si era preparata una serie di scuse per quella notte in coppia. Ma nessuno fece domande.

"Come saprete, purtroppo possiamo offrirvi solo servizio in camera," disse la giovane addetta al ricevimento, consegnando loro la chiave.

"*Room service...* andrà benissimo, grazie!" rispose George, malizioso.

16

L'anniversario era stato così celebrato trionfalmente, appena qualche settimana prima dell'infausto viaggio a Belfast. Il ricordo accompagnò George mentre guidava di ritorno verso casa. Davvero era passato solo così poco tempo dalla notte al Claridge's? Sembravano anni, un passato remoto. Il contrasto con quella serenità, recente e ormai lontanissima, rendeva ancora più angosciose le nuove preoccupazioni. Quell'episodio disgraziato aveva cancellato in lui ogni sicurezza. Già avvelenata era la gioia appena conquistata. Cosa sarebbe successo dopo l'incidente? L'avrebbero cercato? Doveva andare lui dalla polizia? Cosa poteva raccontare? Non ne aveva voglia. Nessuna intenzione. Sul traghetto non aveva dormito per nulla. Poche ore in mare, poi lo sbarco a Liverpool. Una prima consegna di carne suina a Manchester. Poi pesce e crostacei al mercato di Billingsgate, sulla riva nord del Tamigi, a Londra.

Attraversare mezza capitale ormai a sera, arrivando da nord, l'aveva sfiancato. George ascoltava la radio per tenersi sveglio. Ma le news rilanciavano soltanto la notizia che non avrebbe voluto sentire: "Rapito dirigente delle dogane di Belfast." Ripetuta da mille canali, sempre la stessa. Martellante, onnipresente. Persino gli aggiornamenti sul Covid gli sembrarono un sollievo. Cercò un po' di musica. Il ronzio del motore era regolare. Modulato a seconda della velocità. Una colonna sonora che lo accompagnava nei viaggi. Ne conosceva ogni nota e ogni melodia. Su strade o autostrade collinari motore e trasmissione seguivano come un sismografo le onde del terreno. Come la puntina di un giradischi. Ne nasceva una sinfonia di suoni diversi, per ogni marcia e ogni percorso. In città invece era solo una tortura per i nervi, nonostante percorresse ovviamente solo le arterie principali.

Londra rimaneva ostile. Non è città da traffico pesante. Molto meglio i grandi centri del Nord Inghilterra, sviluppati attorno agli snodi autostradali. La capitale non era come le grandi città tedesche spianate dalle guerre. Ricostruite pensando ai nuovi eserciti, quelli a quattro ruote. O come Parigi, dove il TIR di George poteva viaggiare lungo i mastodontici *boulevard* anche in pieno centro. Londra era ancora l'agglomerato caotico dei tempi vittoriani. Villaggi cresciuti fino a saldarsi. Rimasti in fondo sempre gli stessi piccoli centri autonomi, blandamente legati come concentriche colonne di millepiedi. George arrivò a Bromley a notte fonda. Avrebbe riconsegnato il camion vuoto solo il mattino dopo.

Allegra era da lui. "Non aspettarmi, farò sicuramente tardi," le aveva preannunciato. Infatti era andata a dormire. Così sarebbe stata già un po' riposata per accoglierlo all'arrivo. Anche il suo era stato un sonno agitato. Le notizie di Belfast l'avevano turbata, lasciandole una fastidiosa inquietudine. Ansia di rivederlo, nonostante le rassicurazioni. Lui fece piano nell'entrare. La vide tremare. La coperta le copriva solo i piedi. Erano le quattro, una delle sue più frequenti ore dell'angoscia, come gli aveva raccontato Allegra. La guardò nella penombra mentre si girava e rigirava nel letto. Inquieta. Un movimento di lato. Un brusco colpo di reni. Ripeteva: "Non sono stata io." "Non è possibile." "Toglilo." "Non c'è più... non c'è mai stato..." Il suo incubo ricorrente. La sensazione di aver ucciso qualcuno. George si sedette sul bordo del letto facendo pianissimo, le accarezzò lentamente una spalla. Poi il collo. Lei aprì gli occhi. Li tenne per un attimo sbarrati, ancora immersa nella dimensione onirica. Lo vide e parve rasserenarsi.

"Di nuovo quell'incubo."

"Sì... sempre lo stesso," si sforzò di sorridere. Pausa di silenzio per riprendersi. "Bentornato. Poi mi racconti. Ti preparo qualcosa?" disse Allegra anche per scrollarsi di dosso il sogno.

"No, faccio solo una doccia..." Allegra lo attese ormai completamente sveglia. Non aveva mai desiderato il ritorno di qualcuno con tanta impazienza. Con tanto desiderio. Quando George uscì dalla doccia Allegra si perse nel suo abbraccio. Lo lasciò scivolare dolcemente dentro di sé.

"L'hai scampata per poco. Raccontami tutto." Al risveglio le era tornata la curiosità professionale. Aveva davanti a sé il testimone della notizia del giorno. Su tutti i siti dei giornali, sulle radio e TV del Regno scorrevano gli aggiornamenti del nuovo attacco in Ulster. L'ostaggio era il direttore della dogana di Larne, dove transitava il maggior volume di merci provenienti dalla madrepatria inglese. Il dirigente andava spesso negli uffici del vicino e gemello porto di Belfast. Era lì che lo aveva sorpreso all'imbrunire il commando di uomini armati. Gruppi paramilitari tornati in attività. I Lealisti filobritannici da mesi erano protagonisti di minacce e intimidazioni contro il governo.

Nel mirino c'erano appunto i doganieri incaricati di controllare le merci provenienti da Inghilterra, Scozia o Galles. Barriera non verso l'Europa, dunque, ma verso il resto del Regno. Ferita sanguinante per chi rivendicava l'Unione e il proprio essere *British*. Benzina sul fuoco dell'odio settario nordirlandese, che covava sotto le ceneri della pace raggiunta solo una ventina di anni prima. Le divisioni e gli interessi di parte erano pronti a riesplodere. Chi aveva militato nei gruppi armati era ancora in circolazione. Amnistiati o scarcerati a pena scontata. Ma non redenti e nemmeno cambiati. Stessa ideologia, stessa mentalità di una volta. I giovani, che pure sembravano impermeabili alle antiche rivalità, respiravano ancora in famiglia la stessa aria. Il nuovo regime post Brexit era per tutti un tradimento. Gli industriali, gli importatori e i commercianti, danneggiati dalle nuove norme, soffiavano discretamente sul fuoco. Finanziavano occultamente la propaganda contro il Protocollo sull'Ulster firmato con Bruxelles. I paramilitari si erano riorganizzati in fretta. Se i cattolici repubblicani stavano per il momento alla finestra, i Lealisti erano già pronti a reagire.

George lasciò per un po' senza risposta le domande di Allegra. Rinviava un racconto che non aveva voglia di affrontare. Continuò a sorseggiare il tè della colazione, girando lentamente il cucchiaio nella tazza. Era stato indeciso se dirle la verità. Ci aveva pensato per tutto il viaggio di ritorno. Non voleva coinvolgerla. Non voleva preoccuparla. Ma se la polizia fosse arrivata a lui, se lo avessero interrogato... Lei doveva sapere. Magari non tutto. Ma raccontarle l'essenziale era la cosa giusta da fare.

"Mi hanno bloccato mentre arrivavo."

Sguardo interrogativo.

"Chi? La polizia? Erano già sul posto?" chiese Allegra, dando per scontato quello scenario.

"No, uno incappucciato."

Allegra lo guardò in silenzio. Quindi non era arrivato soltanto dopo il rapimento, passando indenne dai primi spicci controlli di polizia. C'era finito proprio dentro. Allegra era sconcertata. Non lo rimproverò per non averle detto niente la notte precedente, un racconto così non poteva avvenire per telefono. "Vai avanti," lo incoraggiò. Era abituata nelle interviste ad aspettarsi di tutto, ad ascoltare di tutto. Adesso le toccava con il suo uomo, preoccupata perché la storia non avrebbe riguardato solo lui.

"Sono arrivato quando l'avevano appena trascinato fuori dall'auto. Ho visto la macchina sul bordo della strada. Ho rallentato. Avrei potuto passare e avvertire i doganieri. Invece mi sono fermato. Non avevo capito cosa stava succedendo. Sembrava un incidente. Ho frenato istintivamente. Professionisti. Mi sono sentito una pistola alla tempia senza nemmeno accorgermene. Era troppo tardi per ripartire. Impossibile scappare. L'incappucciato mi ha tenuto sotto controllo mentre gli altri si allontanavano. Tutto molto calmo. Surreale. Con la coda dell'occhio ho visto portare via il tizio. L'avevano sollevato e lo stavano trascinando. Un altro stava cercando qualcosa nell'auto, documenti, borse o cose del genere. Sono scappati subito. Tutto in pochi attimi. Poi quello con la pistola, l'incappucciato, mi ha detto di tornare indietro e di sparire. Anche se avessi dato l'allarme non sarebbe servito a nulla. Di sicuro avevano una via di fuga."

Infatti all'alba era stato ritrovato un furgone, gli disse Allegra.

"E quindi ti hanno lasciato andare così?" chiese, un po' sospettosa.

"Era già successo tutto, non ero un pericolo," rispose George.

Aveva fretta di chiudere. In fondo era la verità. L'uomo armato l'aveva tenuto sotto controllo, lui non era testimone di nulla. Non avrebbe potuto riconoscere nessuno. Ma dare un allarme più tempestivo, sì. Avrebbe potuto farlo.

"E quindi?" insistette Allegra.

"Ho aspettato mezz'ora in un'area di sosta, poi ho rifatto la stessa strada e sono tornato al porto. La polizia era arrivata, mi sono messo in coda con altri camion. Il tempo per il traghetto l'avevo. Se mi vengono a cercare sarà solo perché sono passato di là dopo il rapimento. Soltanto dopo, come molti altri."

Allegra si alzò. Si strinse addosso la vestaglia. Guardò fuori dalla finestra della cucina. Tra le basse case di mattoni rossi allineate lungo la via si intravedevano le cime degli alberi. Poche strade più in là si apriva la foresta di Elmstead Woods. Li aveva accolti tante volte nelle loro corse e nelle passeggiate insieme. In quel momento, nella luce grigia del mattino, le sembrava infinitamente distante. Estranea. Non era per nulla convinta che la vicenda di Belfast potesse finire così. Troppo semplice. Troppo facile.

George intanto la guardava per capire se il sesto senso di Allegra avesse intuito che quella non era tutta la storia, che un pezzo importante ancora mancava.

"Sono dalla vostra parte." Forse non era rilevante. Forse quella frase non aveva cambiato nulla. Forse invece sì.

La guardava, di spalle, appoggiata al vetro della grande finestra. Doveva scuoterla, rassicurarla. Si alzò per cingerla da dietro. Lei si ritrasse con fastidio. "Ti rintracceranno dai video delle telecamere di sorveglianza," gli disse seccamente. "Non puoi sapere dove sono, cosa hanno ripreso, a che ora."

No, non poteva. Contava sul fatto che i sistemi di sicurezza dei depositi attorno al porto fossero puntati verso gli ingressi e i muri perimetrali, non sulla strada aperta. Ma non poteva esserne sicuro.

"Questa storia andrà avanti giorni, settimane!" sbottò Allegra. "Come mai non hai fatto denuncia subito?"

"Non voglio rogne. Non volevo essere bloccato a Belfast," rispose lui, piccato. "Interrogatori, testimonianze, riconoscimento di sospettati. Non ho visto niente. Non posso dire niente. Non voglio dire niente," concluse brusco. Non fece cenno al passato della sua famiglia. Non sarebbe stato in grado di spiegarlo. Tanto Allegra non lo ascoltava già più. Pensava a sé. Al sottile crinale oltre il quale una storia clandestina diventa una storia criminale.

17

"*Where's the bloody kettle...*" borbottò cercando di infilare le dita della mano destra nell'intercapedine tra la portiera e il sedile. "Non togliete a un autista il suo bollitore" è il mantra dei tassisti e dei camionisti inglesi. Garantisce una tazza di tè bollente nel momento del bisogno. George non poteva fermarsi o rallentare. Aveva già un ritardo di ore sulla tabella di marcia. Era furioso. Il veterinario a Calais era stato ancora più indisponente del solito. Lentissimo, scambiava solo poche parole. Solo in francese. Faceva finta di non capire il gergo basilare della lingua franca di ogni autotrasportatore. *Container. Pallet. Invoice-Facture. Load-Unload. Charger-Décharger. Fish-Poisson. Meat-Viande. Cheese-Fromage.* Un ibrido che andava bene a tutti, in tutte le dogane d'Europa. Tranne che in quelle francesi dopo Brexit. Aveva potuto riprendere la marcia solo dopo un interminabile interrogatorio. Mentre con la sinistra scaricava la rabbia sul selettore delle marce, aumentando rapidamente la velocità, con la destra continuava a ispezionare sotto il sedile. Un dito incontrò il profilo del manico. Il *kettle* riemerse, nemmeno troppo sporco. Lo pulì alla meglio con il risvolto della felpa. Modello da viaggio. Da collegare alla presa dell'accendino. Lo inserì, svitò il tappo di una bottiglia d'acqua. Versò il liquido nel contenitore. Tutto con una mano sola, una vera acrobazia. Anni di esperienza. Pochi minuti e l'acqua bolliva. Una bustina.

In un attimo il tè fu pronto. Lo lasciò raffreddare un poco. Lo bevve direttamente dal bollitore, che fungeva anche da tazza. Sorsi distanziati e pensierosi, ancora carichi di irritazione contro il doganiere francese.

Ogni volta che arrivava alla frontiera sperava che il tempo avesse man mano oliato le procedure. Niente da fare. Se prima di Brexit chi attraversava la Manica se la cavava con un paio di bolle di accompagnamento sotto lo sguardo distratto degli agenti, ora i fogli erano decine. Moltiplicata in proporzione anche la sicumera dei doganieri francesi. Arroganza pura. Preferiva sbarcare in Olanda, a Rotterdam, piuttosto che passare dalle forche caudine di Calais. Senza contare le code in uscita a Dover e Folkestone e gli sguardi allucinati dei migranti che bivaccavano lungo ogni strada sul versante francese, pronti a nascondersi sotto i veicoli in transito sperando di raggiungere l'Inghilterra. Il ritorno alle norme doganali extraeuropee aveva complicato la vita a tutti. Era già passato avanti e indietro decine di volte. Sempre le stesse difficoltà. Vere o piuttosto create ad arte.

Ma era davvero così? Aveva incrociato un doganiere francese più scontroso e irsuto del solito? Oppure era George che scaricava sul lavoro il suo nervosismo? La sua irritazione per come si erano lasciati? La litigata con Allegra era stata spiacevole perché in realtà non c'era stata. Avrebbe preferito che urlasse anche lei, come a un certo punto aveva alzato la voce lui. Invece si era sfilata subito. Aveva abbandonato il campo, come chi concede all'avversario una vittoria che considera inutile. Se gli avesse risposto infuriata, se avesse rintuzzato le sue ragioni: "Non volevo farmi coinvolgere, non volevo perdere tempo, ore di lavoro..." Se avesse tirato fuori le unghie. E le sue paure. Quelle di una donna in vista che teme possa andare in frantumi il vetro antiproiettile eretto a difesa della sua vita privata e professionale. Se Allegra avesse reagito così avrebbe mostrato almeno attaccamento. Coinvolgimento. Un legame da difendere. Invece no, era scivolata via, era uscita di casa in silenzio. Un cambiamento repentino. Un bacio ipocrita. E una pace falsa.

George guidava e pensava e guidava. All'uscita dal porto di Calais la consueta infinita sequela di depositi, capannoni industriali, raffinerie. Poi finalmente si era aperta la campagna francese. Distese di mais e frumento intervallate da macchie boscose sfilavano ai lati dell'autostrada. Il tragitto questa volta sarebbe stato breve. Consegna in un deposito di Lille. Bancali di pacchi di carne suina. Interiora e fegato. Chissà perché – si era sempre chiesto – in Nord Europa sono appassionati di frattaglie dei maiali, che in Inghilterra si scartano. C'era una logica, il pâté si fa con il fegato. Würstel e salsicce col resto. Certo sono molto più divertenti i cinesi a caccia di orecchie suine. Gli era successo qualche volta di recapitare quei carichi preziosi al porto di Liverpool, destinazione Estremo Oriente. Verso l'Europa invece erano di solito frattaglie per i tedeschi e fegato per i francesi. Nel viaggio di ritorno portava in Inghilterra quarti di manzo olandese e formaggi. Lo scambio avveniva nei depositi del Nord della Francia, da dove le merci erano poi smistate ai destinatari finali in tutto il Continente, nel mercato unico europeo.

Era in forte ritardo. Non certo per colpa sua. Il tachigrafo era la prova da mostrare al capo se lo avesse ripreso. Guidava in automatico e si chiedeva perché con Allegra non fosse finita subito. *Bottom line*. Punto chiave. Bella donna, bella scopata. Ma mondi diversi. Distanti. Glielo leggeva in faccia quando la vedeva inorridita dopo qualche sua battuta. Troppo volgare. Troppo maschilista. Troppo razzista. Troppo tutto. Allegra aveva preso a chiamarlo *Peaky Blinder* per via del cappello che gli copriva strategicamente un inizio di calvizie, il berretto a spicchi degli operai delle Midlands, che una serie TV aveva fatto tornare di moda. Nomignolo che sembrava affettuoso, ma poteva essere anche un modo per dipingerlo come un rozzo ignorante e mezzo criminale.

Anche con Jonas in fondo andava nella stessa maniera. Per ovvi motivi chiamava il padre *Father4Justice*. Soprannomi pronunciati con affetto e amore? Oppure con glaciale ironica indifferenza dal figlio e con sottile disprezzo da Allegra?

"Viene a Bromley," pensava George. "Dice che è felice di lasciarsi alle spalle Londra e tutto il suo mondo. Troppo finto e troppo falso. In realtà è come se restasse sempre un passo fuori dalla porta." Il suo piccolo appartamento era per la bella donna di città un'isola felice preziosa? Oppure il rifugio di chi non vuole farsi scoprire? O solo un letto? Lei non lo aveva più invitato nell'appartamento di Battersea con il suo lusso un po' sfacciato. Dopo la prima notte non ci era più tornato. Avevano un accordo e lui l'aveva rispettato. Motivo chiaro, mai messo in discussione. Le visite di estranei erano proibite a causa delle restrizioni anti Covid. Se George si fosse presentato, il portiere dell'elegante edificio non avrebbe certo chiamato la polizia. Ma per la nota giornalista sarebbe stato un motivo di imbarazzo, una trasgressione non ammessa. "Meglio allora, molto meglio il silenzio degli Ingram," pensava. Gli adorabili anziani al pianoterra: bastava un sorriso per garantirne la discrezione.

Pensieri cattivi. George cercò di scacciarli cambiando le stazioni radio. Sulle frequenze dei radioamatori nelle vicinanze tutti parlavano inglese, più o meno. Li sentiva chiacchierare a tempo perso. Guardava il traffico regolare e obbediente incanalarsi verso la frontiera con il Belgio, aperta e invisibile. Perché con lei non era stata una *one night stand* e basta? Alla fine in realtà non lo sapeva. Il loro microcosmo privato aveva funzionato a meraviglia. Non poteva contarci, ma era durato. Almeno fino a quel momento.

Senza accorgersene era arrivato a destinazione. Il cancello elettrico del deposito si aprì all'avvicinarsi del camion. Abbassò il finestrino. Il magazziniere indicò l'orologio, segnando il ritardo con un sorriso ironico. Erano ormai abituati agli orari erratici dei TIR dalla Manica. Ritardi imprevedibili, quasi quotidiani. Mancava solo che gli ripetesse *"Vive la Brexit!"* come aveva fatto in passato. Almeno lì funzionava l'esperanto dei moduli standard, senza tanti chiarimenti.

In poco tempo il camion fu scaricato e ricaricato, questa volta con formaggi francesi. George attese la fine delle operazioni nel prefabbricato della vigilanza, mangiando un panino al prosciutto sfuggito ai gendarmi della dogana. Altrimenti glielo avrebbero sequestrato. "Carne di provenienza non accertata," li aveva sentiti dire ad altri camionisti colti in flagrante. Riaccese per un attimo il cellulare, che all'estero teneva spento per evitare il sovrapprezzo del roaming tornato in auge dopo Brexit.

Lo schermo si illuminò.

"Arrivato? *Take care!*" Lo cercava. Lo inseguiva ancora.

"Fatti trovare quando torno" le rispose. Tono imperativo: ma sapeva che tanto la scelta sarebbe spettata soprattutto a lei.

18

Più che uscita, era proprio fuggita dalla casa di Bromley. Aveva frettolosamente interrotto la conversazione per evitare la brutta piega che aveva preso. Toni accesi, decisamente aggressivi. Con la scusa di un articolo da finire l'aveva lasciato solo con la sua collera. Una litigata rimasta sospesa a mezz'aria. Senza reazione, senza risposta. Quella mattina George doveva partire di nuovo. Destinazione Francia. Meglio. Allegra aveva già in programma di tornare a casa propria. Lo scontro aveva solo cambiato l'umore del loro saluto. Doveva lavorare a un'intervista con il ministro della Sanità. Gli aveva parlato via Skype. Pezzo delicato. Esercizio di equilibrismo, in bilico tra il trionfalismo del governo per i progressi nella somministrazione dei vaccini e il disastro, invece, in termini di vittime. Molte più degli altri Paesi europei.

Il caporedattore le aveva chiesto mano morbida con il bilancio dei morti. "Non dobbiamo essere troppo negativi," le diceva Jeremy, il caporedattore, con tono vagamente paternalistico. "I morti sono morti, il vaccino è la speranza per guardare avanti." Il *Sunday Times* rimaneva ben allineato. E la campagna vaccinale era davvero un successo. Milioni di dosi in poche settimane. Si vaccinava dappertutto. Non solo in ospedali, ambulatori, farmacie. Centri volanti erano stati allestiti a tempo di record in impianti sportivi, stadi e padiglioni fieristici, chiusi per la pandemia. Persino la Chiesa anglicana aveva messo a disposizione luoghi di culto diventati avamposti della fede laica nella medicina. Si cominciava a respirare un'aria meno pesante. L'allentamento delle restrizioni era nell'aria. Il governo aveva annunciato un piano di riaperture che stava puntualmente rispettando.

Allegra aveva sperato di tornare da Bromley con la carica giusta, dopo aver rivisto il suo uomo, reduce dal viaggio nordirlandese. La scrittura dell'intervista avrebbe richiesto energia e sicurezza. Invece dopo la sorpresa di quel racconto non riusciva a concentrarsi. Sul treno passò il tempo a guardare fuori dal finestrino senza neppure vedere il paesaggio. Non che meritasse attenzione, in ogni caso. Grigia e monotona più del solito era la periferia sud di Londra, sotto il cielo nuvoloso di quella mattina. Non aveva voglia di accendere il tablet e risentire la registrazione dell'intervista. Pensava ad altro.

La noncuranza di George l'aveva sconvolta. Come gli era venuto in mente di non denunciare il fatto? Come pensava che non potessero prima o poi risalire anche a lui? Telecamere per la strada. Sistemi di video sorveglianza del porto e delle aziende attorno allo scalo. Il tachigrafo. Il cellulare. Solo l'imbarazzo della scelta, per gli investigatori. Il direttore delle dogane di Larne, era ancora in mano ai rapitori. Non c'era stata nessuna richiesta di riscatto. Bastava la rivendicazione: New UDA, la nuova *Ulster Defense Association*. Il gruppo paramilitare storico dei Lealisti filobritannici era dunque tornato in guerra. Rapido a riprendere le armi per difendere l'appartenenza dell'Ulster al Regno Unito. Come avevano fatto per decenni. Tensione altissima dopo l'imposizione dei controlli doganali sulle merci da e per l'Inghilterra. Sottile linea di demarcazione rispetto al resto della Gran Bretagna. Belfast ora più vicina a Dublino che non a Londra. Inaccettabile. Non si era ancora arrivati agli omicidi, come negli anni dei *Troubles*. Ma quel rapimento segnava il temuto salto di qualità.

"Staranno impazzendo di rabbia a Westminster e Vauxhall," pensò Allegra. Conosceva bene gli edifici che ospitavano il quartier generale dei due servizi segreti inglesi. MI5 per la sicurezza interna, lato Westminster. MI6 per l'estero, lato Vauxhall, base delle avventure letterarie di James Bond, un massiccio edificio a gradoni di cemento, quasi un tempio Maya sulla riva sud del Tamigi. Il gemello MI5 sull'altra sponda, in un palazzo più tradizionale degli anni venti del Novecento, ospita anche il Dipartimento del Nord Irlanda. Prima del *Times*, Allegra aveva lavorato in una rivista di analisi militare. Era la pubblicazione mensile di uno dei tanti centri studi londinesi in bilico tra *intelligence*, aziende tecnologiche e trafficanti d'armi. Aveva così costruito una rete di rapporti con personaggi equivoci ma utilissimi, fonti preziose su quella zona grigia a cavallo tra istituzioni e operazioni illecite ma ampiamente tollerate.

"Cosa gli è venuto in mente?" si ripeteva incredula. Capiva bene la reazione istintiva di non farsi coinvolgere. Fintantoché George fosse rimasto in Ulster sarebbe persino stato in pericolo. Ma una volta tornato in Inghilterra l'idea di non andare dalla polizia le sembrava davvero stupida. La possibilità che non venisse rintracciato, almeno come testimone, era davvero remota. Il rischio di finire anche lei nelle indagini la fece inorridire. Polizia criminale, antiterrorismo. Non avrebbero lasciato nulla di inesplorato. Sarebbe finita nel tritacarne.

I dubbi sul loro rapporto erano riflessioni ricorrenti ma di solito li teneva a bada. Cercava di ignorarli, felice di godere quel limbo spensierato così com'era, così come veniva. Ma ora tornavano prepotenti. Il treno correva verso Charing Cross e il ritmo delle ruote sui binari assecondava gli sbalzi del suo umor nero. No, non erano le sigarette o i calzini corti. Li aveva sopportati in passato, in altri fidanzati. Persino uno come Tom, antica fiamma, con tutta la sua spocchia da *oxoniano*, non ne era stato esente. George almeno in casa non si era mai azzardato a fumare, nemmeno prima di lei. Altri lo facevano. No, non era l'accento *cockney*. Quella era una melodia su cui George intonava la sua voce bassa nei momenti più intimi. Non le dispiaceva per nulla. Le sonorità dialettali la rendevano ancora più cupa. Profonda. Attraente.

Nei primi giorni di convivenza il problema era stato piuttosto il dopobarba. Odore acuto e dozzinale. Per fortuna sostituito velocemente. Una certa mancanza di gusto e stile era innegabile. Il tatuaggio colorato sul braccio, profilo di De Niro in *Taxi Driver*, eredità del suo lavoro precedente. Decisamente troppo pacchiano. E la casa: il divano di finta pelle, la tappezzeria a fiori, decori adatti a un ospizio per veterani di guerra.

Era davvero diventata così snob, lei che snob non era proprio nata? Eppure abbracciare George in quel suo buco di appartamento dal gusto popolano le dava un senso genuino. Di vita semplice. Di un vecchio onesto mondo che aveva abbandonato per arrampicarsi sempre più su nella scala sociale. Lui le sembrava l'unico antidoto possibile alla falsa sofisticazione e agli intrighi del giornale, dei circoli politici e mondani che frequentava. Eppure non le bastava. Con lei, rimuginava Allegra, George poteva anche circolare con le scarpe da ginnastica, maglietta del Chelsea e pantaloncini corti. Aveva un corpo atletico, se lo poteva permettere. Ma quell'abbigliamento avrebbe fatto inorridire i suoi amici, i suoi colleghi.

Già. Non era del proprio sguardo che Allegra aveva paura. Ma di quello degli altri. Delle persone con cui usciva la sera, che frequentava fuori dalla redazione. Facendo finta che non fosse lavoro anche l'aperitivo al *Ritz,* o la cena all'*Annabel's.* Ecco, loro sì. Avrebbero massacrato George con il loro sarcasmo. E tenuto a distanza lei, bersaglio di sicuro compatimento. Poteva già vedere gli sguardi ironici di Maggie e Jeremy davanti al gomito di George appoggiato sul tavolo mentre mangiava. E forse persino lo sguardo di riprovazione di Charlie. Il tono paternalistico con cui avrebbero reagito alle sue tirate anti-immigrati, infarcite di stereotipi come *"Go back to your country"*. Avrebbero sbrigativamente chiuso ogni discussione di fronte alle sue sanguigne uscite contro i politici di Westminster, "tutti bugiardi e ladri". E soprattutto contro i burocrati di Bruxelles, che mettevano i bastoni tra le ruote – letteralmente – del suo camion. "*Get back control*", riprendere il controllo delle frontiere. Per George era un dovere patriottico e un interesse pratico.

Anche Allegra subiva periodicamente le sue invettive fatte di slogan pro Brexit. Le ascoltava con indulgenza. Le aveva sentite tante volte da Farage e dai suoi fiancheggiatori. In parte le condivideva. In parte no. Non era tutto così semplice, tutto netto, definito. Da George comunque le accettava: almeno profumavano di onestà. Pronunciate da lui quelle opinioni rudimentali che restituivano una visione manichea del mondo – inglesi orgogliosi *versus* profittatori internazionali – avevano il dono della chiarezza. Lealtà verso la patria, verso la propria gente, verso se stessi. Fedeltà alla monarchia, ammirazione sconfinata per la regina Elisabetta, curiosità insaziabile per le vicende della famiglia reale, unica eredità rimasta viva dell'Inghilterra imperiale, della Grande Bretagna. Ma poteva ben immaginare il tono con cui i commenti di George sarebbero stati accolti nel suo giro di conoscenti. Pro o contro Brexit, non importava: da loro traspariva sempre l'arroganza della classe dirigente londinese, intellettuale, politica o economica che fosse. La stessa che non aveva capito quanto stava crescendo il malcontento popolare nel secondo decennio del nuovo secolo, anticamera dei nuovi travagliati anni venti.

Solo i politici più attenti o più interessati avevano saputo vedere la marea che saliva. Col referendum erano stati abili e spregiudicati a indirizzarla dove volevano loro. Cioè contro l'Unione europea, capro espiatorio per danni che erano stati causati invece dalla crisi finanziaria degli anni passati e dalle scelte degli stessi governi inglesi. L'avevano fatta pagare ai cittadini quella crisi, tagliando sanità, servizi pubblici, Stato sociale.

Blaming game: sempre meglio accusare un nemico esterno, Bruxelles e i suoi burocrati. Molto più facile. Allegra lo sapeva bene. Del resto si era messa con loro. Aveva azzeccato la parte giusta.

In quel lunghissimo anno, grazie alla cortina di divieti e restrizioni che aveva intorpidito la vita quotidiana di tutti, era riuscita a proteggere la loro relazione e se stessa. Coprifuoco, come in guerra. E come nei conflitti veri del passato, tra le bombe del Covid era comunque nata e cresciuta quella storia d'amore. Nonostante il senso di morte e di impotenza per la strage che vedevano attorno. Doveva ringraziare quell'orrore? No. Ma nemmeno negare che era stato la loro difesa verso gli estranei.

Il problema, in ogni caso, per Allegra ormai non era più quello. Doveva combatterne uno più subdolo. Quel loro modo diverso di reagire all'imprevisto. Di comportarsi di fronte al pericolo. Il treno stava rallentando. L'annuncio dell'ultima stazione, capolinea a Charing Cross. Con pochi gesti si rassettò il soprabito. Già scendeva gli scalini del vagone. Corse verso l'uscita. In taxi raggiunse casa. L'intervista adesso richiedeva tutta la sua attenzione, non ammetteva più distrazioni.

19

George al ritorno passò la dogana di Calais senza problemi. In uscita dalla Francia non facevano tante storie. Controlli rapidi, semaforo verde per i loro formaggi da esportazione. *Brie di Meaux* e forme di *Camembert* normanno. Non l'avevano rasserenato neppure i controlli ancora più distratti allo sbarco dal traghetto a Dover. Aria di casa. La parlata familiare. La brezza pungente che spirava ai piedi delle scogliere, pallide sotto un pallido sole di primavera. Riaccese il cellulare che aveva di nuovo tenuto spento in Francia. Per le urgenze di lavoro era raggiungibile con la ricetrasmittente a onde corte. Gli altri, Allegra compresa, potevano aspettare al rientro in patria. Altrimenti la bolletta sarebbe salita troppo. Agganciato di nuovo alla rete britannica, il telefonino cominciò a scaricare le notifiche.

Un messaggio dell'ufficio. "*Hi George*, mi richiami appena puoi? *Thanks,*" scandiva la voce del direttore. Una vocina stridula. Toni acuti, quasi femminili, in totale contrasto con la stazza di quell'omone sovrappeso che era David Lloyd. George aveva sempre pensato che il dirigente fosse vittima della vita sedentaria. Quarantenne e già obeso. Cambiò idea la volta in cui casualmente pranzarono insieme. Un pub all'angolo del deposito di Lewisham, dove aveva sede la ditta di trasporti. Il capo si rimpinzò con foga di patatine fritte e *fish and chips* grondanti olio. Si capiva che il lavoro d'ufficio era l'ultimo dei suoi problemi di salute. Nel messaggio registrato la vocina era chiaramente irritata. Le nuvole che l'avevano accompagnato durante tutto il viaggio erano pronte a scatenare tempesta appena si fosse fatto vivo. E tempesta venne.

"Che cos'hai combinato?" lo investì il suono della voce che squittiva di rabbia.

"Cosa succede?"

"Me lo devi dire tu." Pausa teatrale tra gli acuti. David era bravissimo a giocare con le attese. In questo caso il suo silenzio era un invito. Voleva che fosse George a cominciare il racconto. Saggiamente, lui non abboccò. Restarono entrambi in attesa per qualche secondo, il ronzio del cellulare a dividerli. George guidava a memoria e preparava una versione ritoccata degli eventi per replicare a quello che il direttore stava per chiedergli. L'autostrada M20 sfilava davanti ai suoi occhi. Tre corsie per ogni direzione. Traffico intenso, ma ciascuno andava veloce per la propria strada. Il grande TIR quasi soffriva a restare nella corsia più lenta, a ruota di altri veicoli meno potenti del suo.

Fu il suo capo a cedere. Riprese per primo.

"Sono venuti due poliziotti, senza preavviso," continuò. George già intuiva il resto. "Volevano sapere chi era alla guida e tutti i dettagli del tuo trasporto a Belfast." Avevano una foto scattata al porto. Fermo immagine da un video di sorveglianza. "Il camion, la targa e la tua faccia erano ben visibili al passaggio della sbarra. Hanno guardato i documenti di viaggio, controllato il tipo di carico. Perché non mi hai detto che eri passato mentre veniva rapito quel tizio?" gli chiese il capo, con la voce che gli saliva di tono un'altra volta.

"Perché sono passato dopo. Era appena successo ma c'era già la polizia," rispose George con tono sicuro. "Nessuno mi ha fermato, nessuno mi ha chiesto niente, ho preso il traghetto che dovevo prendere. *What the fuck?*" replicò seccato mentre azionava il lampeggiatore per superare camion più lenti.

"*All right,* lo spiegherai direttamente tu all'Old Bill. Gli agenti volevano sapere quando tornavi. Li devo avvertire."

George lo convinse a lasciargli un po' di tempo dopo lo scarico dei *pallet.* Una doccia e qualcosa da mangiare l'avrebbero rimesso in sesto. Ma la sua apparente sicurezza svanì appena chiuse la telefonata. Era solo con se stesso, con il rumore uniforme del motore, con il sibilo del vento che entrava dalle infinitesime fessure delle portiere e dei finestrini.

Pensò che non aveva un racconto credibile. Non poteva nemmeno inventarselo, se prima non sapeva dove e come era stato filmato. All'ingresso del porto, ovvio. Risultava l'orario sullo scontrino rilasciato alla sbarra dei controlli. Ma prima? Poteva essere stato filmato anche prima? Una o più volte? Mentre viaggiava verso il porto? O anche mentre tornava indietro verso la città? Come giustificare l'arrivo in ritardo rispetto al tragitto segnato dal tachigrafo? Per ora era una partita a carte coperte. Lui non conosceva quelle dei poliziotti. Ma nemmeno loro conoscevano le sue. Prima di scoprirle doveva capire di più.

Chiamò Allegra, cercando il tono più neutro possibile. Non si sarebbero visti ancora per qualche giorno e dopo la litigata non voleva certo metterla in allarme raccontando dei poliziotti.

"*Hi,* tutto ok?"

"Finalmente sei tornato nel mondo civile?" replicò lei con tono distante. Era in ufficio, non a casa, gli fece capire che non poteva parlare liberamente. "Sono passata qui per prendere alcuni numeri di telefono. Ci sentiamo dopo."

La brevità della telefonata fu un sollievo.

George arrivò veloce in deposito. Salutò Julie alla reception, bussò alla porta di David, entrò subito nell'ufficio del direttore.

"*What's 'll this fuss 'bout?*" Cos'è tutto 'sto casino? andò all'attacco, come fosse lui la parte lesa.

"Non lo so, ma i due detective non sembravano molto amichevoli."

"Non lo sono mai. Potevano controllarci a Belfast al posto di farci partire senza problemi col primo traghetto," insisté George deciso.

"*All right*, te la vedrai tu. Dimmi quando posso chiamarli."

George prese tempo. Cercò di farsi raccontare quali documenti di preciso avevano voluto vedere i poliziotti. Quali carte avevano sfogliato. Se oltre al fermo immagine all'ingresso del porto avessero mostrato altre foto del camion. Non insistette troppo, per non tradire la preoccupazione e non sollevare sospetti. Si diedero appuntamento dopo un paio d'ore. Il tempo di andare a casa, mangiare un boccone e sistemarsi. George sarebbe tornato a metà pomeriggio.

20

L'appuntamento con i poliziotti invece saltò. David Lloyd richiamò George per dire di non tornare più in ditta. Il senior detective non aveva dato spiegazioni. Ma era bastato accendere il televisore per capire il motivo del cambio di programma.

BREAKING NEWS: *Rilasciato il direttore delle dogane di Larne.* Sequestro lampo, 72 ore di terrore, riferiva con voce concitata il primo reporter della BBC Ulster. Parlava da una piccola strada di campagna. Sullo sfondo un casolare nella zona di Ballypatrick, contea di Antrim, nord di Belfast.

"Hanno di meglio da fare oggi," pensò David nell'ufficio della ditta di autotrasporti.

"Hanno altro da fare che ascoltare me," pensò George a casa sua, improvvisamente sollevato alla notizia. Liberato il rapito, liberato lui da un incontro pieno di incognite.

Il ritrovamento era stato pilotato dagli stessi sequestratori. Una telefonata in codice arrivata alla stazione della polizia di un paesino sperduto della costa nordirlandese, da dove riferiva ora in TV un altro giornalista. *No comment* dell'agente di servizio, che si godeva comunque l'improvvisa notorietà ritto sulla porta del basso edificio. Sulla facciata si intravedeva ancora traccia dell'insegna della *Royal Ulster Constabulary,* la famigerata – o benemerita, a seconda degli schieramenti – polizia nordirlandese degli anni dei *Troubles.* Dopo l'accordo di pace il nome era stato sostituito da un più neutrale *Police Service.* Niente *Royal.* Niente Ulster. Il poliziotto guardava compiaciuto verso la telecamera. Bastava e avanzava al reporter per avere il background giusto. Era arrivato un messaggio cifrato, come ai tempi della guerra civile. Stesso copione. Probabilmente la stessa gente. Sullo schermo una foto scattata dai rapitori: il direttore delle dogane legato a una sedia. Reggeva un cartello con la scritta *Traitor,* traditore. Alle sue spalle la parete era coperta da un lenzuolo bianco con lo stemma dell'*Ulster Defence Association.* La corona, la mano insanguinata su campo azzurro. Il motto *Quis separabit.* Chi mai ci separerà? Se la telefonata era un retaggio di arcaiche epoche tecnologiche, la foto era stata diffusa immediatamente via Twitter. In contemporanea con il rilascio. Non c'era bisogno di altri proclami, di altri comunicati o spiegazioni.

"Traditore, sì. Lui, ma soprattutto chi ci ha portati a questa roba. Controlli doganali tra qui e l'Ulster. Ridicolo," rifletté George davanti alla TV.

Guardava scorrere le notizie e pensava a se stesso. All'oscuro passato familiare di cui probabilmente non si era mai davvero liberato. E a come sarebbe finita quella faccenda.

Sollevò con il pollice l'anello di una lattina di birra. Si versò lentamente la London Pride nel bicchiere. La schiuma candida salì fino all'orlo. Il colore ambrato del liquido gli sembrava ogni volta una meraviglia. "Bevila veloce, altrimenti diventa fredda." Rivolse a se stesso la vecchia battuta mentre assaporava quella *Ale* rigorosamente tiepida. Si era messo comodo sul divano. Voleva sentire tutti gli aggiornamenti. Forse qualche dettaglio avrebbe potuto essergli d'aiuto. Doveva costruire una versione passabile dei suoi spostamenti irrazionali al porto di Belfast. BBC News era fissa sulla notizia del giorno. I reportage sui contagi e sull'avanzamento del piano vaccinale potevano attendere. Per qualche ora erano passati in secondo piano.

I giornalisti collegati dall'Ulster erano ormai numerosi. Coordinava il più anziano, probabilmente anche più esperto, piazzato al quartier generale della polizia locale. Periferia est di Belfast, edificio massiccio, nascosto dietro un alto muro di protezione. Il reporter aveva appena ripetuto le informazioni essenziali. Poi ancora cambio di scena. Linea di nuovo al corrispondente dal luogo in cui il rapito era stato rilasciato. Una sperduta casupola di campagna. Probabilmente rifugio e base di pastori della zona costiera di Ballypatrick, dove la foresta confina con verdissimi prati degradanti verso il mare. Quando la stagione lo consente, turisti e amanti della natura camminano per ore, incrociando le greggi e i loro mandriani. In quelle settimane di tempo rigido invece erano lande di solitudine e silenzio, flagellate dal vento dell'Atlantico. La linea passò di nuovo al collegamento dalla stazione di polizia che aveva ricevuto l'allarme. Poi fu la volta di un giornalista piazzato davanti alla casa della famiglia del rapito, una grande villa nel verde sulla salita verso il castello di Belfast. "Bella casa. I tradimenti sono ben retribuiti," pensò George. Nel frattempo il dirigente liberato era stato portato in ospedale. Nella foto diffusa dai rapitori si notavano segni di colpi sul viso. Zigomo e occhio destro tumefatti. Certo c'era stata una colluttazione, ma non sembrava vittima di un vero e proprio pestaggio.

"Non siamo più ai tempi di Adair," sorrise George con aria un po' sadica. Johnny *Mad Dog* Adair. Un pazzo che aveva reinnescato una nuova guerra in Ulster negli anni novanta, quando ormai i tempi erano invece maturi per un compromesso. Il terrore di Shankill Road, il quartiere feudo dei paramilitari protestanti. Responsabili di esecuzioni sommarie e torture sui collaborazionisti e sui cattolici dell'IRA. Ricambiati dai Repubblicani con la stessa ferocia. Un bagno di sangue, degno epilogo della trentennale guerra civile. "Almeno lottava per una buona causa," pensò George. Eroi – Adair e gli altri come lui – per chi aveva a cuore il Regno Unito. Essere *British*. Ecco la chiave di tutto, per George: andava difeso l'essere britannici. I Lealisti protestanti lo avevano fatto per secoli, dovevano continuare a essere un esempio per tutti. Facevano bene a prendersela con i doganieri, collaborazionisti per non perdere il posto. Feccia. No, davvero non erano più i tempi di *Mad Dog*. Uccidere come gesto politico è orrendo. Ma facevano bene le milizie a suonare la sveglia, rifletteva sonnecchiando, stanco per il viaggio.

Sullo schermo gli inviati speciali e i giornalisti in studio ripetevano ormai le stesse poche informazioni. Si attendevano un primo comunicato della polizia e il referto dell'ospedale sulle condizioni di salute del rapito. Nel frattempo solo parole moltiplicate e nessuna novità. George cominciava ad annoiarsi. Impaziente di avere nuovi particolari che non arrivavano, tolse l'audio ma tenne le news in sottofondo. In caso di notizie importanti l'avrebbe capito dai sottotitoli.

La sua mente vagava. L'esperienza di quei mesi gli faceva temere che Brexit fosse ben diversa da come se l'era immaginata. Il Nord Irlanda ne era solo un esempio, più vicino ora a essere annesso da Dublino. Ritornassero pure le garitte e i cavalli di frisia al confine tra le due Irlande. "Le contee del Nord sono britanniche. Devono rimanere così. Non era questa la Brexit per cui abbiamo votato." Pensieri in disordine nel dormiveglia.

Alla TV comparvero due medici dell'ospedale. Il rapito stava abbastanza bene. Nessun danno grave dovuto alle percosse. Si era difeso al momento del sequestro ed era stato brutalmente immobilizzato. Nessun altro segno di violenza. In pochi giorni sarebbe stato dimesso. "*Mad Dog* avrebbe decisamente fatto di meglio," continuò George tra sé mentre spegneva la TV. Chissà poi cosa avranno avuto da cavargli. Al massimo informazioni sui sistemi di sicurezza degli impianti dello scalo, ma quelli si potevano cambiare rapidamente. Insomma, sembrava un gesto dimostrativo. Un messaggio politico.

Solo allora si accorse dell'SMS di Allegra.

"Hai visto?"

"Sì, ho visto."

Per una volta non era solo lei sulla notizia.

"Meglio così."

"Sì, meglio così."

21

Allegra aveva seguito in redazione la notizia del rilascio. C'erano soltanto lei e il caporedattore, chiuso nel suo acquario. La vetrata dell'ufficio consentiva a Jeremy di controllare l'open space dove lavoravano gli altri giornalisti. Una tenda alla veneziana gli garantiva comunque la privacy. Palpebra aperta sul resto del mondo quando era in *mood* comunicativo. Chiusa quando doveva fare telefonate o colloqui riservati, *one-to-one*. Il distanziamento sociale dai redattori era così assicurato anche prima del Covid.

Allegra era passata a recuperare degli appunti. Stanzone deserto. Tutti lavoravano da casa. Gli strumenti erano gli stessi, computer e cellulare. Le abitazioni dei giornalisti erano diventate succursali del posto di lavoro. Trasformate di fatto in terminali fisici di una rete connessa 24 ore su 24. I telefonini rimandavano messaggi giorno e notte. Stesso ritmo incessante per le notifiche delle email. Dopo un anno di *smart working* le faceva persino piacere tornare ogni tanto in redazione. Quel giorno l'ufficio vuoto e la possibilità di scambiare di persona informazioni e commenti con il caporedattore avevano indotto Allegra a restare un po' più a lungo.

Jeremy Lyndon aveva solo qualche anno più di lei ma già da tempo occupava saldamente la posizione di responsabile dell'ufficio: capo della Redazione Interni. La sua carriera era stata lineare, in ascesa costante. Collaudato percorso per uomini.

Per loro era tutto più facile. Ci volevano certamente capacità e almeno un'occasione fortunata. Chi la sapeva cogliere partiva come un missile, lanciato nella scalata della gerarchia interna. Salvo intoppi, l'avrebbe percorsa puntando al vertice, arrivando almeno fin dove la concorrenza degli altri colleghi non l'avesse bloccato. La carriera nel gruppo Times era ancora una guerra tra maschi alfa.

Poteva sembrare diversa la storia personale di Kirsty Lane, la direttrice del *Sunday Times* che aveva chiamato Allegra a seguire il fronte Brexit: ma era la classica eccezione a conferma della regola, promossa al vertice del settimanale in modo da eliminarla dalla lotta di potere per la direzione del quotidiano. Una partita giocata come sempre tutta al maschile.

Come spesso avveniva negli ultimi tempi, anche quel giorno Allegra e Jeremy avevano finito per discutere animatamente. "Non possiamo sempre stare dalla parte del governo," aveva insistito lei. "La battaglia è vinta, Brexit è fatta, prendiamo un po' le distanze. Non siamo più in guerra. Torniamo all'equilibrio tradizionale. Persino i laburisti hanno cambiato leader. Non c'è più un bolscevico come Corbyn. Possiamo rilassarci e riprenderci tutti un po' di libertà. La nostra credibilità è preziosa, più dei rapporti con Downing Street. I Premier passano, noi dobbiamo durare."

Lo ripeteva da settimane. Avrebbe voluto che il cambiamento si vedesse nella scelta delle storie, delle interviste, nella scrittura degli articoli. Meno allineati, più aggressivi. Osservazioni che cadevano nel vuoto formalmente gentile di chi non vedeva ragioni per cambiare linea.

"Stiamo andando benissimo," era stata la replica di Jeremy. "Questo governo durerà anni e il Premier sarà rieletto. Così diamo spazio all'opinione non solo dell'elettorato conservatore ma di una grande maggioranza del Paese. Ricordati che Brexit l'hanno sostenuta anche gli ex operai del Nord." E su questo punto

Allegra non si era sentita di controbattere. Avevano chiuso lì la discussione anche quella volta. Nessuno dei due voleva affondare colpi, infliggere ferite che sarebbero state difficili da sanare. Nel lavoro quotidiano le divergenze rimanevano sottotraccia.

Tornata alla scrivania, aveva dato un'ultima occhiata alle scadenze dei giorni a venire. Stava per raccogliere le sue cose e salutare quando la notizia aveva cominciato a lampeggiare sulle TV. Facevano effetto quegli schermi, appesi come quadri a ogni parete di fronte alle scrivanie vuote. Televisori accesi in tutta la grande stanza. *Big Brother* rimasto a vegliare sull'assenza degli umani. "*Breaking News – Rilasciato il rapito in Ulster.*" Allegra si era seduta di nuovo.

"Hai ancora contatti con l'MI5?" le aveva chiesto Jeremy affacciandosi allo stanzone. "Tienili a portata di mano. Oggi c'è troppo casino ma domani potresti fare qualche telefonata." Come se lei non ci avesse già pensato. Anche il versante politico sarebbe stato incandescente. Troppo delicata la situazione in Irlanda del Nord per non farne un caso nazionale. Quel rapimento comprometteva il messaggio rassicurante di Brexit. Le minacce e gli atti dimostrativi degli estremisti filobritannici mettevano il dito nella piaga. I nuovi controlli doganali con l'Inghilterra erano un pasticcio per tutti, ma soprattutto per la gente del posto. L'Ulster di fatto si staccava dal Regno Unito. Piano piano, a cominciare dalle norme commerciali.

Ma non erano le ripercussioni politiche a rimbalzare frenetiche nei pensieri di Allegra. Seguì con attenzione le prime dirette. Aveva controllato le agenzie per avere altri dettagli. Capì velocemente che a parte l'annuncio della liberazione c'era ben poco. Il riserbo era strettissimo, totale silenzio dietro cui si trinceravano le autorità nei momenti veramente delicati, cruciali. Per lei le notizie comunque erano più che sufficienti. Sentì di nuovo un vuoto allo stomaco. Un senso di vertigine la costrinse a rimanere seduta. Immaginò lo sconcerto del caporedattore, del direttore, di chiunque al giornale e fuori se fosse emerso qualcosa del racconto di George. Del loro legame, del loro silenzio.

Soltanto una volta in passato si era sentita così in balìa di qualcosa di imprevisto. Inevitabile e irrimediabile. Si rivide adolescente, ad aspettare un ciclo mestruale che non arrivava. Non succedeva nulla, ma poteva già essere successo tutto. Le precauzioni le prendeva. Ma non poteva essere certa che qualcosa non fosse andato storto. Il passare dei giorni sgretolava l'arrogante spensieratezza dell'età. Svuotata. In attesa che la sorte decidesse per lei. Aspettava che quella gravidanza si manifestasse. Ma non avvenne. Era stato solo un ritardo. Probabilmente lo stress per gli A-Levels, gli esami per l'università. Al suo ragazzo dell'epoca non aveva mai raccontato niente. Dopo quell'esperienza Allegra era cambiata. Si era chiusa in se stessa. Autodifesa. Non poteva immaginare che la prospettiva di una gravidanza non si sarebbe mai più seriamente presentata in futuro, in momenti più opportuni. Vent'anni dopo, lo stesso crampo allo stomaco, sintomo di eventi che potevano travolgerla.

Il caporedattore la osservava con sguardo interrogativo dall'altra parte del vetro. Chissà cosa passava per la testa della collega che ignorava i suoi cenni. Si alzò, si affacciò alla porta del suo cubicolo.

"Tutto ok?" le chiese.

"Certo, stavo riflettendo."

Jeremy dava per scontato che stesse pensando a chi telefonare, chi inseguire per saperne di più sulla notizia del giorno. Prima dell'uscita del domenicale c'era ancora tempo. Ma dovevano scavare più a fondo dei concorrenti che avevano la fortuna di essere in edicola tutti i giorni. Il tempo sarebbe volato, come sempre. Allegra prese finalmente borsa e tablet. *"See you,"* salutò. Indossò la mascherina, ancora obbligatoria negli spazi comuni. Uscì dal giornale facendo i dieci piani a piedi. In discesa era facile. Meglio evitare ascensori o altri luoghi claustrofobici.

Anche se con le vaccinazioni il rischio di contagio stava calando rapidamente, il lungo anno della pandemia aveva lasciato dentro di lei un'istintiva repulsione per ogni vicinanza con estranei.

Salutò con un cenno il portiere del palazzo. Tutti chiamavano *Baby Shard* quel tozzo edificio di vetrocemento, anche se il nome ufficiale era *News Building*. Senza fantasia ma appropriato, visto che ospitava tutta la famiglia dei giornali dell'editore Murdoch: *Times, Sunday Times, Sun*. Lì avevano sede anche il *Wall Street Journal, Virgin Radio, SkyNews Economia* e altre redazioni. *News building*, dunque. Ma era molto più buffo il soprannome: il palazzo era all'ombra del fratello maggiore, lo *Shard*, appunto, quello vero, il grattacielo progettato da Renzo Piano. Paragonato al gigante, il fratellino sembrava davvero un baby. Allegra aveva bisogno di camminare. Allungò il passo verso City Hall, il municipio della Greater London, lo sghembo edificio di un'altra archistar, Norman Foster, che l'aveva voluto sferico e pendente in direzione opposta al Tamigi. Camminando aggirò la curiosa gobba del palazzo che pencolava verso di lei. Finalmente le si aprì davanti il colpo d'occhio che cercava.

Il lungofiume era incantevole. L'imbrunire accendeva le luci della città, mentre la luminosità serale trascolorava sulla selva di grattacieli di inizio millennio che si inseguivano sulla riva di fronte a lei. Il profilo della vecchia Londra resisteva ormai solo grazie alla cupola della cattedrale di St. Paul, accerchiata da palazzi contemporanei contrassegnati da forme e nomi sempre più strani. Il cetriolo, la grattugia, il Walkie-Talkie. *Humour* inglese a smitizzare quell'angolo di nuova Londra.

Allegra camminava e pensava. Il mal di stomaco si era man mano riassorbito. A mente fredda le restava lo sgomento di ritrovarsi vittima di azioni altrui. Di scelte incaute. Incomprensibili. Il silenzio di George poteva essere considerato ostruzione alle indagini. Certo, potevano anche non cercarlo o non interrogarlo, considerare irrilevante il suo passaggio. Molti camionisti erano entrati a quell'ora nel porto di Belfast. Ma le sembrava molto improbabile. Di sicuro lui non l'avrebbe coinvolta. Lo conosceva ormai abbastanza da potersi fidare. Lei poi non c'entrava davvero nulla. George non l'avrebbe mai nominata. Ma sarebbero bastati i loro messaggi a metterli sulle sue tracce. Si pentì persino di quelli che gli aveva inviato poco prima.

Per gli investigatori sarebbe stato molto intrigante indagare su una nota giornalista, poter mettere sotto controllo il suo cellulare e ascoltare le telefonate riservate con esponenti di governo o *civil servants* in posti chiave. Sarebbe stata lei nel mirino, allora. Potevano sospettarla di avere avuto a che fare con l'attentato tramite il suo amante. Potevano pensare che proprio per quel motivo avesse tenuto così segreta la loro relazione. Ancora più grave se del rapimento avesse scritto qualcosa sul giornale. Storia da prima pagina. "Allegra Brewer indagata per il rapimento in Ulster." Vedeva già titoli, sottotitoli e testo dell'articolo. Come chi immagina il proprio necrologio. Il suo coccodrillo già pronto in redazione, scritto da colleghi che non aspettavano altro che scavarle la fossa.

Le sembrò tutto assurdo. Ma possibile. Le telefonate alle sue fonti nei servizi segreti l'avrebbero fatta sospettare di favoreggiamento. Era coinvolta, che lo volesse o no.

22

"*On our side... Are you, cousin?*"

Il messaggio illuminò lo schermo del cellulare. George gettò uno sguardo rapido al telefonino, saldo nel supporto a ventosa fissato al cruscotto. Numero non in agenda ma ben visibile sul bordo superiore del display. Nessun tentativo di nasconderlo. Di nascondersi. Accostò, allungando il camion sulla corsia d'emergenza che per fortuna in quel tratto chiude ai fianchi la M25. Rilesse, incredulo. Capì in un istante. Proprio adesso che il rilascio dell'ostaggio aveva allentato la tensione. Meno preoccupato lui, meno scontri con Allegra. Ci sarebbe voluto qualche tempo per capire eventuali onde sismiche dalle indagini verso le loro vite. I poliziotti non si erano ancora fatti vivi. George aveva ripreso subito i trasporti. La solita routine. Prima regola: continuare con la vita di sempre. Ora invece quel messaggio scardinava tutti i suoi buoni propositi.

"*Fuck...*" esclamò tra sé mentre cancellava le parole precipitate da un mondo che non conosceva e non voleva certo conoscere in quella circostanza. "Posso anche cancellare, ma in qualche maledetto *Cloud* rimarranno visibili," si disse. Il traffico compatto della grande tangenziale londinese sfilava a pochi metri di distanza. Sguardi curiosi verso il TIR fermo e verso di lui.

"Mi hanno coinvolto... mi vogliono incastrare." Non gli pareva possibile che i misteriosi, lontanissimi cugini, incontrati qualche rara volta da bambino, al massimo quando era appena ragazzo, c'entrassero con quella storia. O meglio, potevano anche, in effetti. Ma che volessero tirarlo dentro? Chi l'aveva riconosciuto? L'incappucciato era Martin? O James? O erano risaliti a lui dalla targa? Il numero di cellulare potevano averlo trovato in qualche foglio di accompagnamento ai trasporti. Nelle bolle delle merci. Si sentì esposto, indifeso.

Un nuovo flash. Altro messaggio.

"Don't be stupid, cousin." Il tempo di leggere e di cancellare frettolosamente. A farlo imbestialire non era tanto la minaccia quanto la volontà gratuita di coinvolgerlo. Non aveva visto nulla. Aveva obbedito. Se n'era andato. Non aveva parlato con nessuno. Ora invece alla polizia sarebbero bastati quegli SMS. Prova dei suoi rapporti con i rapitori. Che non esistevano. Fino a quel momento. Ma ora invece sì. Bastava ricollegare le tracce. Parentela. Passaggio nel momento cruciale. Era un fiancheggiatore? Una copertura? Un basista? Un piantone per fermare eventuali altri camion? Nessuno avrebbe più creduto che fosse stato solo un caso a condurlo lì in quel momento.

George spense il cellulare. Aveva bisogno di una tregua senza rischio di nuove sorprese. Il motore era sempre acceso. Spinse sull'acceleratore approfittando di una pausa nella fila di veicoli lenti sulla corsia a fianco. Non poteva tardare nella consegna. Viaggio breve, Milton Keynes, snodo autostradale e di smistamento merci. Un'ora per pensare, seguendo automaticamente il flusso di traffico verso nord. In effetti di quei cugini non aveva saputo più nulla dopo la morte degli zii. Ricordi adolescenziali. Due ragazzi corpulenti, troppo per l'età. Chiusi e scontrosi. Nessun sorriso per il coetaneo cittadino. Diffidenza a sottolineare la diversità. Chissà che cosa avevano fatto in tutti quegli anni. George sapeva solo che il negozio del nonno era rimasto in famiglia, qualcuno doveva pur occuparsene. Li pensava ormai tutti adattati a una routine senza scossoni.

Negozio, moglie, figli. Pub la sera, stadio la domenica. Ma attorno a loro il Nord Irlanda era cambiato.

Fino alla pace dovevano aver militato in qualche formazione più o meno operativa, rifletteva George guidando con leggerezza quel camion che seguiva docilmente la strada. Marce orangiste, immancabile appuntamento di ogni estate. Probabilmente qualche spedizione punitiva, e forse anche altro. Non aveva mai ricevuto notizie di arresti o problemi seri con la giustizia, ma potevano anche averli avuti senza che la notizia arrivasse fino a lui, a quel ramo londinese che da un pezzo non consideravano più famiglia. Morti i vecchi, non si erano mai sentiti. Mai più visti. E cosa avranno fatto dopo la pace? si chiese George. Saranno rimasti in contatto con i vecchi gruppi? Erano passati più di vent'anni. Ma i legami restano, per chi è cresciuto in quell'ambiente, con la stessa gente e le stesse appartenenze.

"I paramilitari sono fuori legge ma le loro reti sono sempre attive," pensava George ripercorrendo quello che aveva un po' letto, un po' sentito nei suoi viaggi in Ulster. Quasi saltò l'uscita giusta nel dedalo di larghe strade a scorrimento veloce che innervano il tessuto urbanistico di un non-luogo come Milton Keynes, una Los Angeles nel grigio dell'Inghilterra di mezzo. Il prototipo meglio riuscito e quindi – visto con gli occhi di oggi – più famigerato delle *new towns* degli anni sessanta. Per i camionisti una benedizione: solo autostrade, svincoli, depositi e grandi parcheggi. Anche George amava quella città inesistente. Luna park per giganti a quattro ruote.

"Pilota automatico, potrei guidare bendato," ripeté a se stesso per distrarsi dai veleni che dal buco nero dell'Ulster erano all'improvviso saliti a occupargli la mente. Martin, James. Un ronzio da mal di testa. Solo la guida gli offriva distrazione, imponendogli un minimo di attenzione alla strada, quindi di sollievo. "Come il nonno. Ancora la storia del nonno. Spia, complice, vittima? Maledetto il silenzio di chi ha portato con sé la verità." La voce dell'addetto alla ricezione, davanti al cancello di un enorme spiazzo affollato di mezzi pesanti, lo riscosse. "'Morning," si dissero reciprocamente. Minigru per carico e scarico, nastri trasportatori, capannoni. Uno sguardo alle prime carte, un gesto per indicare l'area che lo attendeva, poche decine di metri dopo. Accostò, lasciò fare ai velocissimi operai che con i loro piccoli mezzi già svuotavano la pancia della balena. Pochi minuti. Era tempo di riaccendere il cellulare. Sperava non ci fossero altri messaggi. Ancora uno, invece. Definitivo.

"*Don't be stupid. Don't be a snitch.*"

23

"Centrale Polizia Brixton. *Mr. Moore, is it?* È lei?" George trasalì al suono della voce che lo cercava sul numero di casa. Si aspettava una chiamata degli investigatori. L'aveva temuta per giorni. Era scontata, attesa, garantita. Ma non così. Avevano il suo cellulare. Sapevano bene chi era. E Brixton cosa c'entrava? Cosa volevano adesso? L'agente riprese a parlargli in tono burocratico. Ebbe il tempo di riprendersi e non tradire le sue vere preoccupazioni. Ci volle ben più di un attimo per raccapezzarsi.

Non era giorno da raid teppistici. Si erano ancora una volta limitati a fare ricognizione. Era ormai pomeriggio quando Jonas era calato verso il centro con la mountain bike e la sua gang di aspiranti criminali. Meta il triangolo dello shopping. Bond Street, Regent Street, Oxford Street. Con i negozi chiusi e le strade deserte i passanti erano da tempo facili prede di bande giovanili. Ragazzi in bicicletta, diventati padroni di un centro città svuotato, senza turisti, senza clienti nei negozi, senza impiegati negli uffici. Le gang si sentivano onnipotenti e molte lo erano. Da Hackney e tutto l'Est di Londra calavano quelle più dure e sanguinarie. Coltello in tasca, sempre. Jonas e il suo gruppetto di Brixton giravano alla larga da tipi del genere. Seguivano a distanza mentre i giovani criminali puntavano come avvoltoi i passanti isolati. Rubare il cellulare, il portafoglio o l'orologio per loro era facile come un gioco.

Le code ai semafori, che davano una parvenza di normalità, erano un vantaggio per le mountain bikes in fuga, pronte a slalom impossibili agli altri mezzi. Seminavano così le auto della polizia, rifugiandosi velocemente nei loro quartieri-fortino di spaccio e illegalità.

Gli agenti si erano fatti più sospettosi e accorti, fermavano anche solo per controlli. Jonas e i suoi l'avevano sperimentato direttamente. Un incontro ravvicinato con una pattuglia li aveva indotti a maggiore prudenza. Non era capitato a lui ma a Tim, un altro della banda. Se li era visti alle spalle all'improvviso. Forse un'auto elettrica, quella della polizia. In centro ce n'erano già molte. Silenziosa e veloce. Il ragazzino se l'era cavata grazie a un paio di incroci trafficati che avevano costretto gli agenti a rallentare. Si era buttato contromano in una stradina dietro Selfridges. Si era nascosto in un cortiletto. Non l'avevano trovato, ma la lezione era servita per tutti. Meglio evitare.

Così anche quel giorno erano solo in pattugliamento, inseguendo le fantasie di mirabolanti colpi da mettere a segno. Dopo un giro in centro avevano cambiato zona. Sloane Square era perfetta. Quartiere di super-ricchi a metà strada tra Oxford Circus e Brixton, tappa d'obbligo dunque sulla strada del rientro a casa. Brixton, il quartiere dove il figlio di George abitava con la madre e i suoi occasionali compagni, aveva perso la fama di ghetto nero ma mostrava sempre profonde differenze sociali. Zone gentrificate, ristrutturate e benestanti, accanto ad aree rimaste derelitte e povere. Convivenza comunque senza troppe tensioni. Nulla di paragonabile agli anni ottanta. Solo gli scontri tra gang giovanili, a colpi di coltello, riportavano a quel clima di violenza. Ma Jonas se n'era sempre tenuto alla larga. "Roba da super-ricchi," diceva, "e da spacciatori." Come tutti i ragazzi della sua età faceva gruppo solo con la sua gang.

Nelle vuote settimane del virus, senza scuola e senza la presenza della mamma che continuava il lavoro come donna delle pulizie, Jonas in quelle scorribande sentiva l'ebbrezza di essere padrone di Londra. Sognava raid a scopo di rapina e nel frattempo si divertiva a terrorizzare i pochi passanti. Soprattutto le donne. Giovani o vecchie non importava. Era la reazione che contava. Puntavano a una vittima, arrivavano alle spalle, urlavano nelle sue orecchie. Lo spavento si moltiplicava davanti a quei ragazzi robusti, che formavano un cerchio attorno alla vittima pedalando veloci. Sempre più veloci. Se il passaggio di un'auto della polizia li costringeva a smettere era solo per un attimo. Gli agenti rallentavano, poi se ne andavano. E loro ricominciavano dopo cinque minuti.

Oltre ai ragazzi, solo i *bikers* delle consegne e i senzatetto si contendevano il monumentale guscio vuoto del centro. Tribù metropolitane prima marginali, ora padrone del campo.

Gli *homeless* avevano ovviamente il migliore controllo del territorio. Se gli altri arrivavano durante il giorno, loro invece erano sempre lì, a occupare le posizioni anche di notte. Sacchi a pelo e cartoni si estendevano ormai lungo ogni atrio coperto. In ogni cortile cieco. Si accatastavano lungo gli ingressi dei grandi magazzini chiusi, dove potevano godere dei refoli del riscaldamento lasciato acceso. Angoli di favelas nel cuore di Londra. Baracche precarie e provvisorie diventate permanenti negli androni dei palazzi d'uffici. Se prima della pandemia dovevano frettolosamente ritirare le loro cose al mattino e scomparire, adesso i senzatetto potevano lasciare sul posto coperte e cartoni, protezioni di legno o plastica. Si allontanavano solo per cercare cibo caldo nei centri di distribuzione delle parrocchie, dell'Esercito della salvezza o dei servizi sociali. Chiedere l'elemosina non serviva. Pochi passanti, niente contanti. Il virus aveva imposto di pagare solo con le carte. Niente spiccioli in tasca, alibi di ferro per respingere ogni richiesta di elemosina, anche la più pressante.

Nel deserto del centro di Londra qualcuno vedeva i segni dell'Apocalisse. Come nel Medioevo, per le strade avanzavano fantasmi scalzi e sbrindellati. Poveri sbandati si ergevano a profeti di sventura. Predicatori millenaristi sfilavano di fronte alle saracinesche abbassate, ai pub sbarrati. *"God save us all"*, *"Repent!"* pentitevi! salmodiavano allucinati davanti ai resti dei lussuosi addobbi delle vetrine in disarmo. Almeno non rischiavano più di essere bruciati a Smithfield o impiccati all'albero di Tyburn come nel Seicento. I ragazzini in bici avevano preso di mira un giovane predicatore di Oxford Circus. Pallido, sporco e smunto, sembrava davvero si nutrisse soltanto di locuste come Giovanni Battista nel deserto. O piuttosto si facesse di eroina, tra le poche merci sempre disponibili. Anche contro di lui si lanciava la sarabanda delle biciclette, finché qualche autista pietoso non urlava loro di smetterla. Oppure interveniva un motociclista, forte di casco, guanti e tuta, a porre fine a quegli abusi.

Anche i *bikers* c'erano sempre stati. Londra era troppo frenetica per dare tempo ai suoi abitanti di fare la spesa, di cucinare un pasto decente e di sedersi a tavola con un minimo di calma. Le consegne a domicilio salvavano la cena di molti, anche in tempi normali. Con la pandemia ovviamente era stato il boom. Solo grazie alle *deliveries* molti ristoranti continuavano a lavorare, anche se a ritmo ridotto. I noleggiatori di scooter facevano affari d'oro. La tribù dei *biker*s bivaccava agli angoli delle strade, dove una volta si sprigionava festante la vita notturna. Raffinate *Lunch Box* e *Dinner Box* continuavano a partire dalle cucine dei locali più rinomati. Andavano a ruba. I corrieri su due ruote consegnavano a tempo di record. Infreddoliti d'inverno e sudati d'estate. Con le stesse giacche impermeabili, gli stessi pantaloni plastificati, gli stessi guanti e stivaloni lerci. Trascorrevano l'attesa a gruppetti, nei posti strategici. Pronti a rispondere al suono della notifica sul cellulare. Veloci ad accettare prima degli altri l'ordine impartito dall'app. Un datore di lavoro elettronico, invisibile, senza rapporto umano, senza gerarchia. I ragazzi col casco erano l'unico elemento vivo, in carne e ossa, di quel meccanismo. Braccia e gambe di un algoritmo. *Gig economy, new technology*, vecchio sfruttamento. Anche Jonas ogni tanto faceva consegne. Era quasi maggiorenne e lavorava qualche ora alla settimana. Ma in bicicletta era faticoso. E poi viveva con la mamma, non ne aveva bisogno. Almeno per ora.

Quel giorno era passato veloce. Raggi di sole scaldavano Kings Road. Avevano puntato verso i supermercati aperti, facili obiettivi dove mettere nel mirino i clienti in uscita. Si erano fatti una idea, avevano verificato le distanze dalle stazioni di polizia della zona, controllato la frequenza delle pattuglie. Tutto a futura memoria. Se davvero fossero diventati i criminali che speravano, quei test sarebbero stati la palestra ideale. A diciassette anni pensare in grande lo faceva sentire già adulto. Studiava l'agiatezza degli altri. Sognava che prima o poi sarebbe stata anche sua. Jonas non voleva finire come il padre. Lo disprezzava. Lo irritava l'insistenza con cui voleva per forza essere presente nella sua vita, quando invece a lui era totalmente indifferente.

"*He's a wanker,*" gli ripeteva mamma da quando era piccolo. E uno *wanker*, un segaiolo, era rimasto George per il figlio. Con il suo taxi da sfigato. E poi con il camion, ancora peggio. Sempre in giro per tre soldi, a mangiare merda e prendere ordini. Non c'era mai stato. In casa Jonas aveva avuto altri padri. Fin troppi, ma almeno si svegliava con loro, gli facevano compagnia, ne sentiva l'odore. Facevano contenti mamma. Fintantoché duravano. *Father4Justice* invece era patetico, lui e suoi ridicoli tentativi di attirare l'attenzione. Su di sé, ovvio, mica su di lui. Per fortuna poi aveva smesso, rimuginava Jonas, mentre i suoi due compagni infilavano la testa nelle fessure dei cancelli delle ville di Chelsea sbeffeggiando le telecamere che li riprendevano.

All'improvviso avevano guardato tutti e tre i cellulari. La notifica non lasciava dubbi. "*It's on.*" La festa non era distante.

Sugli schermi dei loro telefonini era comparso il messaggio che attendevano: "*The market is open.*" Uno sguardo per vedere se tutti avevano ricevuto. Un cenno comune. L'avventura che aspettavano stava per cominciare. Ci vollero una ventina di minuti per tornare verso Brixton. *Rave* clandestini spuntavano un po' dappertutto in città. In barba al lockdown, al divieto di incontrarsi, all'obbligo di mascherina. In barba a tutto. Il market era un supermercatino sotto le volte della ferrovia che taglia il quartiere di Brixton da est a ovest per impennarsi poi verso Victoria Station. I ragazzini avevano già adocchiato il posto altre volte. Sembrava che nascondesse qualcosa. Loro avevano naso per capirlo. Infatti era quello il punto d'incontro.

Lasciarono le biciclette sull'altro lato della ferrovia, legate da catene a prova di furto. In caso di brutte sorprese avrebbero dato meno nell'occhio fuggendo sul retro dei viadotti. Il piccolo supermercato aveva l'aria innocente. Difficile però che i gestori non sapessero dove conduceva lo stretto cunicolo a fianco del loro negozio. Si addentrava sotto le volte della ferrovia. Un chiaro invito. A ostruire il passaggio era appostato un giovane. Nero, capelli *rasta,* collanine giamaicane e anelli a ogni dito. Segno che avevano trovato il posto giusto. Dovevano superare quell'ultimo ostacolo. "*What's up?*" chiese l'uomo ai ragazzi. Se occorreva una parola d'ordine non ci sarebbe stato nulla da fare. Ma era ancora presto, il *rave* si sarebbe incendiato solo di notte. A quell'ora anche i ragazzini andavano bene. Il rasta non indagò più di tanto. Si accontentò del laconico "*Nothing*" di Jonas. Li squadrò. Fece cenno di proseguire nel pertugio.

Nonostante l'orario pomeridiano, il rombo che li scosse all'entrata non era soltanto quello dei treni sopra le loro teste. Già rimbombavano cavernosi i bassi elettronici della musica techno. Dietro al cancello metallico dell'ingresso, sotto l'arco del viadotto, si schiuse così il mondo ultraterreno che i ragazzi erano venuti a cercare. I mattoni della volta e delle pareti erano già impregnati dall'odore dolciastro della marijuana. Dozzine di bottiglie di gin e whisky a buon mercato passavano di mano in mano. Decine di ragazzi e ragazze ballavano sudati. Jonas e i suoi amici erano tra i più giovani. Non li avrebbero fatti entrare se ci fossero stati veri controlli. Ma un *rave* è un *rave*. Tanto più illegale, tanto più selvaggio. In fondo allo spazio disadorno, il tavolo con la consolle era issato su un'alta pedana. Dietro, il DJ in piedi. Un paio di ragazzi si arrampicarono fino a lui, esaltati da qualcosa più forte del gin. Dalla pedana si tuffarono sulla folla, che li accolse smorzando la caduta.

Jonas e gli amici si agitavano come capitava, ebbri dell'essere parte di quella festa da grandi. Con cinque sterline arraffarono tre lattine di birra. Si godevano lo spettacolo. I flash dei cellulari e le luci dei faretti proiettati sulle loro teste falciavano la ressa, scoprendo volti, braccia, gambe. Un groviglio. Rumore assordante. I treni che sferragliavano sopra di loro si percepivano ormai solo dal tremito di soffitto e pareti.

L'irruzione fu discreta. Molti di quelli che ballavano in mezzo non si accorsero neppure dell'ingresso degli agenti. Due poliziotti erano saliti sul palco improvvisato. Il DJ, strafatto, li vide solo quando se li trovò a un palmo dal viso, alzato per un attimo dal *controller*. La musica a palla cessò con un suono stridulo, prolungato e definitivo. Le monumentali casse degli amplificatori smisero di vibrare. Solo le luci stroboscopiche continuavano a lanciare i loro raggi abbaglianti su decine e decine di teste ancora in moto come per inerzia. Lampeggiavano intermittenti sui corpi sudati del pubblico e sul cordone di polizia che schiacciava i giovani verso l'interno. Ragazzi come loro. Ma ragazzi in divisa. Con le mascherine sul volto. Manganello e spray urticante a portata di mano. I festaioli più vicini alla porta metallica tentarono di forzare il blocco e di uscire. Ma era troppo tardi. Il locale si era trasformato in una trappola. I più ubriachi si lanciarono comunque contro i poliziotti. Finirono bastonati senza pietà. Ebbero la peggio in pochi istanti, troppo pieni di alcol per scatenare una rissa vera. "Questo è un party privato!" urlavano agli agenti un paio di uomini più adulti, probabilmente gli organizzatori. "*Private property*," proprietà privata, strillava anche il DJ ritornato lucido sotto la presa energica delle forze dell'ordine. Jonas e i suoi amici si erano stretti contro il muro opposto all'ingresso. Ma non sfuggirono nemmeno loro al censimento dei trasgressori.

"Quanti anni avete?" chiese quello che sembrava un graduato. Aveva visto quei tre rintanati per conto proprio, arresi e indifesi.

"Diciassette," rispose Jonas. Sedici e diciassette gli altri due.

"Lo vedremo," disse il poliziotto temendo che mentissero sull'età per evitare le conseguenze peggiori. Nel frattempo già molti erano stati portati fuori, chi in manette, chi a mani libere. La violazione del lockdown era un illecito amministrativo. Passibile solo di una multa. Salatissima per il proprietario dello spazio. Salata per i partecipanti alla festa. La droga però era un'altra storia. Gli accertamenti andarono per le lunghe. Jonas e amici furono accompagnati fuori quasi per ultimi. Era ormai buio, anche se non era nemmeno sera. La polizia era intervenuta prima che il *rave* entrasse nella fase notturna. Altrimenti ci sarebbe stata più affluenza, più ressa e maggiori rischi di reazione violenta. Azione preventiva, dunque, ma esemplare in ogni caso. I video filmati dagli agenti avrebbero fatto il giro del web nell'arco di poche ore. Deterrente per chi ignorava le norme antiassembramento.

Jonas e i due amici pensarono alle loro biciclette, chiedendosi quanto avrebbero resistito all'aperto. La luce dei lampioni era flebile. All'esterno, sotto il serpentone del viadotto ferroviario, dominavano i lampeggianti blu dei furgoni della Metropolitan Police. I tre ragazzi vennero fatti salire su un'auto civetta con due poliziotti. Probabilmente il sovrintendente aveva capito che erano davvero minorenni. Nessuno aveva documenti con sé. Nella liberale Inghilterra non è obbligatorio portarli. La loro identità andava comunque verificata. Indossarono docilmente le mascherine allungate dall'agente di scorta mentre il collega si metteva alla guida. Pochi minuti di viaggio, senza sirena né lampeggiante. Jonas guardò gli altri per capire se insieme potessero tentare in qualche modo la fuga. Gli rispose subito lo sguardo del poliziotto. Meglio non pensarci nemmeno.

Sulla panca di una cella della stazione di polizia di Brixton Hill i tre ragazzi tacevano. Ciascuno pensava a sé. Avevano visto troppi film dove le chiacchiere in carcere finivano registrate e diventavano prove a carico. Un agente offrì dell'acqua attraverso le sbarre. Chiese i loro nomi, indirizzi e generalità dei genitori. Jonas diede solo quelle della madre. Non sapevano cosa aspettarsi. Passarono pochi minuti e lo stesso poliziotto fece ritorno. "*Ok, you are all cleared,*" siete a posto. "Chiamiamo qualcuno per venirvi a prendere," spiegò l'agente. "*Fuck off,*" ribatté Jonas, non tanto al poliziotto ma all'idea che i suoi diciassette anni fossero maggiore età per la strada ma non per la legge. Nella vita di tutti i giorni poteva girare, fare, portare un coltello, sfidare le gang delle altre zone come un adulto. Più di tanti adulti. Ma lì era ancora un ragazzino minorenne sotto la tutela dei genitori. Il poliziotto lo guardò sarcastico. "Devi aspettare ancora qualche mese, poi puoi finire anche tu in galera come quelli là," gli disse indicando gli uomini chiusi in una cella sull'altro lato del corridoio. "Al posto di tua madre abbiamo comunque chiamato tuo padre. Lo conosciamo meglio!" concluse. L'agente aveva infatti controllato i nomi di tutti i genitori nell'archivio. Per via delle passate acrobazie a George era stato dedicato un fascicolo ponderoso. Schedato con tutti i dettagli.

Jonas ripeté il suo "*Fuck off.*" Questa volta più sommesso.

"E chi è, Mourinho?" scoppiò a ridere uno dei ragazzi quando furono di nuovo soli.

"Fatti i cazzi tuoi."

"Be', tuo padre deve essere famoso da queste parti." Le battute ferirono Jonas. Ma ancora di più lo irritava parlarne. Era sempre stato così. Ricordava le urla della mamma all'indirizzo di quell'uomo che diceva di essere suo padre. I dubbi insinuati che in realtà non lo fosse. Che fosse un intruso, uno *stalker*. Tanto soldi non ne aveva. Tanto avevano dovuto sempre arrangiarsi da soli. Rivedeva con orrore quegli incontri obbligati. Lui bambino, seduto su un divano nella stanza di qualche ufficio dei servizi sociali. Voleva soltanto andarsene, scappare via. Quell'uomo di fronte a lui che non sapeva cosa dirgli. Che si guardava le mani imbarazzato. Accanto c'era sempre una donna: l'assistente sociale. Sfogliava distratta una rivista contando i minuti che mancavano alla fine della visita. Ricordi dolorosi. Jonas si stringeva, si rattrappiva, incrociava le gambe penzolanti dalla sedia troppo alta.

Quell'uomo nella sua vita non aveva mai contato nulla. Non lo conosceva e non lo voleva conoscere. Non poteva far arrabbiare la mamma, mettersela contro. Altri avevano lasciato il segno. Jimmie, bello e giovane. Entrato nel letto di sua madre come un ladro di cuori. Uscito dopo averle rifilato un bel po' di botte, a lei e anche a Jonas per buona misura. Altri gli avevano fatto da padre, a rotazione. Aveva imparato a diffidare di tutti. Chi lasciava ferite, chi lasciava debiti. Vedeva la mamma sempre più stanca, sempre più rassegnata. Jonas crescendo era diventato per lei figlio e compagno. Non li avrebbe mai divisi nessuno. E a lui andava bene così. La mamma bastava e avanzava, meglio evitare altre fregature.

"*He's a wanker,*" scrollò le spalle per chiudere l'argomento. E la cosa finì lì.

Intanto cominciavano ad arrivare alla spicciolata parenti e amici degli arrestati. Chi a pagare la multa per violazione del lockdown, chi la cauzione per la libertà provvisoria. Soldi che non avrebbero evitato a molti un processo per reati vari. Possesso e spaccio di droga, resistenza a pubblico ufficiale, violenza privata. La retata era stata un successo. Anche in quella fase finale della pandemia non si facevano eccezioni nella lotta al virus. Pugno duro verso i trasgressori, potenziali untori di famiglie e amici.

I ragazzi erano puliti. Niente traccia di droghe su di loro. Lo stesso non si poteva dire degli alcolici, ma quella era una medaglia, non un reato. Sarebbero stati rilasciati senza altre formalità. Una diffida verbale, un'ammenda ridotta e basta.

"*Evening, this is Mr Moore...*" Era ormai tarda sera quando il padre si presentò all'ingresso.

Quando lo vide, Jonas fece una smorfia. Si richiuse nel suo mutismo. George firmò le carte in qualità di *appropriate adult*. Sollevato all'idea di non essere lui sotto accusa. Aveva temuto ben altri scenari quando aveva risposto al poliziotto per telefono. Poi, invece, aveva cominciato a preoccuparsi per Jonas. Ma era stata soltanto una bravata. Cento sterline di multa per violazione delle norme antiassembramento. Con i minorenni avevano usato la mano leggera.

"Mi devi cento *pounds*," disse George all'uscita, per smuovere il figlio dal silenzio.

"*Ask mum,*" chiedili alla mamma. Jonas sgusciò veloce dalla porta principale. Il padre vide scomparire al primo angolo di strada quel figlio che si credeva grande ed era invece ancora un ragazzino. Nascosto dal cappuccio fino agli occhi, confuso tra la gente, sotto le luci soffuse della notte di Brixton.

24

Gli investigatori che stavano indagando sul caso Ulster non si fecero comunque attendere troppo. Tre giorni dopo il rilascio del rapito arrivò la loro telefonata. George fu convocato alla stazione di polizia di Lewisham.

"Solo qualche domanda sul suo ritorno da Belfast," gli disse il detective al cellulare. Si qualificò come Frank Deloitte. Evidentemente gli agenti non avevano più bisogno di passare da lui in ditta. Lo avrebbero interrogato nella centrale di zona. Un modo per evitare di far capire a quale *branch* investigativo appartenessero. Antiterrorismo, Scotland Yard, servizi segreti? Lui comunque non aveva scuse per tirare in lungo. Era a casa, di riposo. Rispose ok, poteva andare subito all'appuntamento. Indossò jeans, maglietta, giubbotto di tela. Era una grigia mattinata di primavera. La natura non si era ancora ripresa da un piovoso inverno che indugiava testardo.

Per la strada molti passanti continuavano a indossare la mascherina anche se la pandemia era chiaramente in ritirata. Le precauzioni rimanevano ancora parte della vita di tutti i giorni. Ma era evidente il senso di sollievo rispetto ai mesi più drammatici. George si avviò verso la stazione ferroviaria. Non aveva mai avuto un'auto. Prima per via del taxi. Poi perché bastavano e avanzavano le ore trascorse al volante del camion. Non voleva aggiungerne altre di guida nel traffico londinese.

Ne sentiva la mancanza soltanto in caso di appuntamenti serali. Così Uber, l'odiato Uber, era diventato alla fine utile anche per lui. Di giorno però i mezzi pubblici erano la soluzione migliore.

Gli ci vollero una ventina di minuti per raggiungere Lewisham. Un cambio di treno. Appena il tempo di riepilogare tra sé la versione da raccontare. Sapeva che avrebbe dovuto improvvisare. Doveva intuire al più presto quello che i detective avevano in mano. Capire se avevano ricostruito esattamente i suoi spostamenti prima dell'imbarco, inversione di marcia compresa. Se i loro sospetti derivavano anche dalle sue origini familiari nordirlandesi. Se avevano messo sotto controllo il suo cellulare. Allora sarebbe stato perduto, visti i messaggi ricevuti. E la convocazione avrebbe avuto un peso ben diverso. Doveva giocare la partita con prudenza. Stare all'erta, saper cogliere anche il segnale più tenue. Interpretare le espressioni. Capire i loro taciti messaggi.

La stazione di polizia era un doppio edificio di mattoni, due ali collegate da un passaggio sopraelevato, che univa i piani superiori. Grande e insolito. Aveva ospitato un supermercato, prima che Scotland Yard lo trasformasse in sede blindata in quel quartiere difficile a sud del Tamigi. Due parole alla reception e una breve sosta in sala d'attesa. Fu invitato a lasciare gli oggetti personali in una cassetta chiusa a chiave all'ingresso. Oltrepassato il metal detector gli fu indicata una porta a metà del lungo corridoio al piano terra. Bussò. Due poliziotti lo aspettavano. Niente mascherina, notò subito George, che invece per essere ligio l'aveva indossata all'ingresso.

"*Please, have a seat,*" lo accolse il primo agente in borghese. "*Frank Deloitte, nice to meet you.*"

Formale e gentile. Robusto, sulla cinquantina. Calvo in cima e rasato ai lati, dove i capelli avevano naturalmente resistito. Il taglio a zero scopriva un piccolo tatuaggio sulla tempia sinistra. Occhi azzurri. Lo invitò a prendere posto. George fece uno sforzo per reagire alle gambe che cedevano. Si sedette volentieri.

A fianco, in piedi, come se fosse appena scivolato giù dal bordo del tavolo, c'era il poliziotto più giovane. Anche lui in borghese. Capelli corti rossicci. Sguardo incarognito a priori.

"*Good afternoon Mr Moore.*" Poche parole per spiegargli quello che George già sapeva. Le indagini sul rapimento. Il video delle telecamere all'ingresso dell'area portuale di Belfast. Gli altri documenti sul suo passaggio quella sera. Ancora nessuna domanda. Volevano far parlare lui. Cercò di mantenere uno sguardo diretto sul più anziano. Cominciò a raccontare. Era passato poco dopo il fatto. La prima pattuglia era già arrivata. C'erano gli agenti attorno a quell'auto sulla strada, con la portiera aperta. "Ho rallentato, nessuno mi ha fatto cenno di fermarmi," continuò George, sentendo la sua voce ripetere il racconto con tono monocorde, come non ci fosse nulla di speciale. "Ho chiesto al primo doganiere cosa fosse successo. Mi ha detto del rapimento... potrebbe confermarvelo." Il *senior detective* accennò un sorriso, come per schernire George che voleva insegnargli il mestiere.

"Lei è arrivato alla sbarra del porto alle 21.50," riprese a quel punto il poliziotto. Mostrò sullo schermo del computer il fermo immagine dell'ingresso.

"Sì, certo."

"Ma era passato dalla telecamera dell'autostrada, cinque miglia più indietro, alle 21.15. Un po' troppo tempo per così poca strada, no?"

"Da adesso si balla," pensò George mentre elencava gli altri dettagli della sua versione. Avanti, avanti. "Ero in anticipo, mi sono fermato al lato della strada perché stavo crollando dal sonno. Ho fatto un pisolino."

"Poteva aspettare di essere in porto e dormire quanto voleva."

"Mi si chiudevano gli occhi a ogni curva. Avevo tempo prima del traghetto delle 22.30. Una sosta per sicurezza. Una mezz'oretta, credo. Poi ho ripreso la strada."

"Sì, in una piazzola abbiamo trovato tracce di pneumatici compatibili con quelle del suo camion. Purtroppo le due telecamere negli ultimi chilometri verso il porto erano fuori uso. Ovviamente... I paramilitari non hanno dimenticato come si fa." Quindi gli investigatori non avevano foto o video che mostrassero la sua inversione di marcia. Il suo doppio passaggio. Un enorme punto a favore. Nessun cenno agli SMS.

Il cuore di George batteva all'impazzata ma nulla trapelava dallo sguardo. I suoi occhi scrutavano un punto indefinito della fisionomia dell'uomo che lo interrogava. Fino a quel momento il secondo agente, quello giovane, era sembrato distratto. Colse al volo la pausa per inserirsi nelle domande.

"Però abbiamo trovato tracce di pneumatici compatibili con il suo camion anche a fianco della strada, vicino al punto del rapimento," buttò lì, insinuante.

"Bah, non so... sono gomme molto comuni," osservò George, spostando lo sguardo verso di lui. Aveva assunto un'aria sorpresa, era più rilassato di prima. Nemmeno su quello avrebbero potuto incastrarlo. Improbabile che la Scientifica riuscisse a risalire al momento esatto in cui erano state lasciate quelle strisce sulla terra battuta, la prova della sua inversione di marcia.

"Già, peccato che non siano stati fatti subito i rilievi anche lì. L'umidità della notte ha allentato il terreno, difficile risalire all'orario," ammise l'agente più giovane, all'apparenza arrendevole. George era dibattuto tra il sollievo per la piega presa dall'interrogatorio e il sospetto che fosse una vittoria troppo facile.

E infatti.

"È il suo cellulare che ci ha incuriosito," continuò il poliziotto giovane. A George, ormai, erano chiari i ruoli. Al secondo poliziotto era montata sul volto un'espressione vagamente sadica. Riprese allora con improvvisa foga: "Il suo cellulare aveva già agganciato la cella del porto alle 21.20. Poi è stato spento e lo è rimasto fino all'ingresso delle 21.50. Solo allora è stato riacceso di nuovo. Curioso, no?"

George ostentò la sua migliore faccia da poker. Un po' perplesso, un po' sorpreso, un po' infastidito. In realtà era terrorizzato. Ecco la carta coperta, quella che decideva la partita. "Non ho idea. Ho un telefonino vecchio. Spesso perde il segnale, poi lo riprende. Forse l'ho staccato prima di addormentarmi."

Il *senior detective* non era più intervenuto. Era come se stesse scrutando la reazione di George da un'altra angolatura, per poter poi confrontare con il collega le proprie impressioni.

"Un bicchier d'acqua?" chiese. Voleva forse sottolineare che si era arrivati a un passaggio cruciale? George non gli diede soddisfazione: "*No, thanks.*" Cercò di non tradire né paura né emozione.

Lo salvò la rabbia che stava montando dentro di lui. Il sentimento di avere fatto la cosa giusta. E di subire quel terzo grado senza motivo. Non era certo complice dei rapitori. Ma nemmeno li avrebbe venduti alla polizia. Una scelta che era pronto a difendere in ogni modo. Anche davanti ai due inquisitori. Spuntando le loro armi, smontando le loro indirette ma chiarissime accuse.

"Lei può essere un testimone prezioso," aveva nel frattempo ripreso l'agente più anziano con tono mellifluo. Sembrava quasi chiedere comprensione per le difficoltà del suo lavoro. "Il rapimento del direttore della dogana di Larne è un fatto gravissimo," continuò Deloitte, lento, preciso. "Le indagini sono a trecentosessanta gradi. Abbiamo il fiato sul collo dei nostri superiori. E loro quello dei politici. Prima arrestiamo i responsabili, meglio è per tutti. Tanto lo sappiamo benissimo chi sono. Li abbiamo tutti ancora schedati, i vecchi paramilitari. Foto segnaletiche, fedina penale. Non è passato poi così tanto tempo dai *Troubles*. Si fa in fretta a riaccendere gli animi. E a far dissotterrare gli arsenali. I capi hanno sempre la stessa mentalità.

Al massimo si sono riciclati nel traffico di droga. Ma l'ideologia è rimasta. Abbiamo tutto di tutti nei dossier dell'antiterrorismo, anche sui fratelli Trimble. I suoi cugini."

George non mostrò alcuna reazione. Una lunga pausa di silenzio lo salvò dal tradire la sua paura più grande, quella che i messaggi dei cugini fossero stati scoperti. Sfoderò di nuovo la faccia perplessa, come di chi realmente si stesse chiedendo cosa c'entrassero i suoi parenti. Piano piano recuperò freddezza. Stava quasi per rispondere "quella è gente che difende la propria terra e la propria patria. Vanno ascoltati. Capiti". Ma ovviamente tenne per sé quelle parole. Doveva uscire indenne dall'interrogatorio.

"Se sapete che siamo cugini saprete anche che non abbiamo alcun rapporto," riprese alla fine calmo. Su quel terreno non aveva difficoltà. Era tutto vero. "Li ho visti qualche volta quando ero bambino. Non so cosa facciano. Nemmeno se ci sono ancora." Riuscì a mascherare la tensione. Se i poliziotti sapevano dei messaggi sul cellulare l'avrebbero messo alle strette in quel momento. Era il passaggio decisivo.

"Ci sono, ci sono, i Trimble," continuò il *senior detective*. "Davvero non vi siete mai più visti?" La domanda cadde nel vuoto. George rispose con uno sguardo silenzioso che confermava solo quanto aveva appena dichiarato.

"Ok. Lei può anche non collaborare con le indagini. Affari suoi, motivi suoi. Ma esiste il reato di ostruzione della giustizia. O, ancora più semplice, quello di falsa testimonianza. Lo sa, vero?"

"*Listen, piece of shit...* senti, pezzo di merda," attaccò senza preavviso il più giovane da dietro. Si era spostato alle sue spalle, abbassandosi gli parlava con la bocca a un soffio dall'orecchio. "Stiamo tutti facendo il nostro mestiere. Noi facciamo le indagini e ti massacriamo, se ci serve. Tu non volevi rogne, okay. Ma adesso ci racconti per bene quello che hai visto quando sei passato di lì. Mezz'ora prima di quando dici."

"Ve l'ho già raccontato. Non c'è altro," disse George dopo un'altra lunga pausa per riordinare le idee. Aveva scacciato il terrore di essere incastrato dai messaggi. Aveva represso l'impeto di alzarsi e rovesciare il tavolo addosso al poliziotto seduto davanti. Avrebbe volentieri preso per il collo il giovane, dato un calcio nelle palle all'anziano. Giusto per finire in galera immediatamente. Mantenne invece il controllo.

"Mi spiace che non ne siate convinti," si azzardò anzi ad aggiungere in tono gentile, tanto per chiudere la conversazione. Deloitte continuava a guardarlo fisso. Aprì la copertina del faldone di documenti che aveva davanti. Spostò due foto in cima al fascicolo. Prima pagina di un giornale. Poi la foto segnaletica di George Moore, nato a Londra ecc. ecc. Quindi il certificato penale.

"Lei è stato arrestato nel 2004 per un'azione del gruppo cosiddetto *Fathers4Justice*... Giusto? Ah, Buckingham Palace... *Congratulations!*"

"Arrestato ma non condannato. Il giudice ha archiviato," precisò George.

"Certo, certo. Perdono reale... *Congratulations!*" il poliziotto fece di nuovo lo spiritoso.

George alzò il tono: "Avete mai provato a combattere per vedere un figlio che non vi fanno mai incontrare? Ero un attivista di *Fathers4Justice*. E sono orgoglioso di esserlo stato, ok?" Adesso la sua indignazione aveva trovato un terreno favorevole per esprimersi, dirottando su quello l'attenzione dell'interrogatorio.

"*Sure,*" replicò Deloitte che aveva ormai gettato la maschera e non nascondeva più la sua ostilità. "2016, 2019 e 2020, fermato e identificato in manifestazioni a favore di Brexit. Violenza privata, resistenza a pubblico ufficiale e comportamenti anti-sociali," continuò a leggere dal fascicolo con il suo nome in copertina.

"*And proud of it!*" sbottò George alzandosi dalla sedia. "Orgoglioso di essere un patriota, di difendere questo Paese.

Dove siamo finiti se anche voi, la polizia, la nostra polizia, ve la prendete con la nostra stessa gente? Non vedete che vi usano per tenerci buoni? Orgoglioso... di stare con chi combatte per tenere insieme questo Paese. Vedete anche voi di fare la vostra parte. E se non avete altro, vi saluto e me ne vado," li sfidò, alzandosi.

Il giovane agente stava per prenderlo alle spalle e ributtarlo sulla sedia quando il capo gli fece cenno di no.

"Let's keep in touch, Mr Moore." Restiamo in contatto gli disse laconico Deloitte prima che George aprisse la porta della stanza e uscisse in corridoio.

Riprese il cellulare e le chiavi di casa dall'armadietto dopo avere aggirato il metal detector. Nel tempo trascorso dentro l'ufficio un altro agente avrebbe benissimo potuto copiargli la scheda e la memoria interna del telefono. Anzi, era quasi certo che lo avessero fatto.

Voleva solo andarsene. Si lasciò alle spalle l'atrio della stazione di polizia, affollata dall'umanità più varia. Quasi tutti uomini, seduti in attesa di presentare una denuncia o di ricevere un documento. Era occupata una sedia sì e una no. Mascherina per tutti, spesso indossata storta, o sotto il mento. Molti che non avevano trovato posto all'interno aspettavano dietro la porta di vetro corazzato che dava sulla strada. George premette il pulsante verde della porta automatica. Finalmente era fuori. All'aria aperta. Con la testa più libera e i nervi meno a pezzi. Alla fine aveva tenuto duro. Per il momento non aveva ceduto.

25

Si svegliò tutta sudata. Eppure non teneva mai troppo alto il riscaldamento. Ancora quell'incubo. Ancora quella sensazione di avere ucciso. Fino a un attimo prima del risveglio aveva avvertito fisicamente il peso della colpa. Raskolnikov. Delitto e castigo. In questo ultimo sogno la stanza era sempre la stessa. Ma il cadavere non c'era. Le sembrava di conoscere quella casa. Doveva essere stato un antico rifugio di famiglia. Rimosso dai ricordi coscienti. Sapeva però di esserci stata tanto tempo prima. Gli indizi sulla sua colpevolezza aumentavano. Lei era schiacciata contro un muro. Sentiva che sarebbero presto venuti a prenderla. Ma nessuno arrivava. Si era mossa verso la porta. Forse poteva ancora scappare, aveva pensato. In quel momento era entrato suo padre. "Come stai, Allegra? Come vanno le cose?", "Papà, non stare qui, vengono ad arrestarmi." Allo sguardo attonito del genitore aveva reagito come una furia. "Non puoi capire. Non farti trovare con me, togliti di mezzo," gli urlava.

Un attimo di sgomento. Riprese lucidità. Si alzò per indossare una maglietta asciutta. Tornò sotto le lenzuola. Per una volta non era sorpresa. Con quello che stava succedendo le parve normale che le paure prendessero forma. I primi momenti dopo l'incubo erano sempre angosciosi. Col tempo si era abituata. Nel sonno metteva in fila i suoi fantasmi, allineati come birilli da bowling. Al risveglio li vedeva così con più chiarezza. In quei giorni nei suoi pensieri c'era di tutto. Non soltanto George e il suo incosciente costruirsi problemi e rischi gravi. C'entrava anche l'atmosfera al giornale, diventata sempre più pesante, sempre più diffidente nei suoi confronti.

Non provò nemmeno a riaddormentarsi. Ripensò agli ultimi giorni in ufficio. Aveva ricevuto un SMS importante: "Grazie, ottimo lavoro." Il ministro l'aveva stupita. Un messaggio personale, non della sua portavoce, che pure l'aveva chiamata tutta contenta. L'intervista era stata un successo, quantomeno per i suoi rapporti professionali. Felicissimi anche a Downing Street. "Sappiamo di poter contare su di te," le aveva detto un *civil servant* molto vicino al Premier. Ovviamente *off the record*.

A lei invece era rimasto l'amaro in bocca. L'entusiasmo degli interessati era dovuto più al titolo che al taglio del suo articolo. Apertura di pagina. Corpo tipografico imponente: "*CoVictory: V-Day grazie a Brexit*". Un ammiccante gioco di parole tra Covid, Brexit e vaccini. Il trionfo del bicchiere mezzo pieno, aveva pensato Allegra quando lo aveva visto, ormai in pagina. Il caporedattore si era ancora una volta adattato completamente alla narrativa del governo, semplice e diretta come uno slogan: il V-Day, il giorno dei vaccini, era arrivato in anticipo grazie alla riconquistata libertà da Bruxelles. La vittoria sul Covid come lo sbarco in Normandia, come la battaglia d'Inghilterra. Meglio affrontare le emergenze da soli, senza la zavorra europea.

Quel titolo suonava sfacciatamente le trombe del consenso pro Brexit. Spronava all'ottimismo. L'intervista in realtà era più equilibrata: lei aveva cercato di porre le domande giuste, quelle che indicano anche i problemi e non lanciano solo *assist* per facili risposte. Domande che interpellano il lettore, che stimolano il suo senso critico.

"Titolo cattivo, eh?" aveva ironizzato Allegra con il caporedattore alla prima occasione. Jeremy l'aveva vista entrare nel suo ufficio con un piglio un po' troppo deciso per essere di suo gradimento. Non l'aveva invitata a sedersi. Solo il suo collo si era allungato come quello di una tartaruga svogliata. Se Allegra aveva pensato di stanarlo dal suo carapace ideologico si era sbagliata. "Lo so anch'io che il piano di vaccinazione è un successo," lo aveva blandito all'inizio. Milioni di dosi, molte più che in Europa. Calo dei contagi e della mortalità. La battaglia sarebbe durata ancora a lungo, ma si vedeva ormai la luce in fondo al tunnel. Lo sapevano entrambi. Bastava fare il paragone con i Paesi dell'Unione europea per capire la differenza. Tutta a favore di Londra.

"Ma non possiamo chiudere gli occhi su quello che non va per il verso giusto," aveva continuato Allegra, cercando di provocarlo. "Ti devo ricordare il bilancio delle vittime?" Era il peggiore in Europa, uno dei peggiori al mondo. Gridava vendetta, chiedeva giustizia. Con quel titolo invece tutto diventava propaganda. Quello era il senso delle sue parole, e Jeremy lo aveva capito benissimo. Ma erano rimaste non dette. Allegra era sempre convinta di aver fatto la cosa giusta cinque anni prima. Non poteva essere confusa con chi aveva sempre remato contro. Adesso però avrebbe voluto più professionalità, più indipendenza. Ora che la battaglia di Brexit era vinta occorreva riprendere un certo distacco dal governo. Non si stancava di ripeterlo, al caporedattore come anche alla direttrice. Si scontrava con il loro muro di gomma. Con un cinismo che troncava ogni discussione. Non era lei a comandare. Anche in quell'occasione, lo sguardo in risposta l'aveva indotta a non insistere. Allegra aveva continuato a fissare il suo capo, ormai concentrato sullo schermo del computer. Udienza finita.

Uscita dalla redazione, quel giorno, per un attimo aveva desiderato prendere un treno per Bromley, rifugiarsi di nuovo nelle certezze semplici di George. Ma sapeva che non sarebbe stato possibile.

Da giorni non si vedevano. Prudenza d'obbligo, dopo l'interrogatorio. Probabilmente lui era ormai discretamente tenuto sotto controllo. Nessuna telefonata dal cellulare. L'aveva però avvertita degli sviluppi con una chiamata via Skype. George si era infilato in un bar che era anche un call center frequentato da immigrati. Si era fatto assegnare un computer lungo il muro, in modo da poter controllare l'ingresso e anche la strada. Tutto tranquillo. Aveva portato il suo auricolare per non usare la cuffia microfono del locale. Il cicalino della telefonata Internet: niente video, solo audio. Le aveva raccontato l'essenziale. L'interrogatorio. Un vero terzo grado. Le insinuazioni dei detective. Aveva concluso: "Credo mi abbiano anche clonato il cellulare. Lo fanno sempre."

Silenzio raggelato di Allegra. "*No worries*. Avevo già cancellato tutti i nostri messaggi." Lei aveva ringraziato tra sé e sé. Senza video era riuscita a dissimulare meglio la gioia. Un moto di sollievo che George aveva percepito comunque.

"Non è stupido e cerca di proteggermi," rifletteva Allegra nel cuore della notte, mezzo assopita. "*A good man*." Sapeva di poterlo dire. Doveva ammetterlo anche a se stessa, nonostante la collera. Ma non le bastava più che George fosse quello che era. Troppo grande il rischio che le faceva correre. Il disagio profondo rimasto al risveglio dall'incubo era un segnale chiarissimo. Non poteva né voleva più mentire a se stessa. Sesto senso in allerta. Pericolo autoinganno. Un'intima spia rossa lampeggiante che imponeva verità. Doveva arrendersi e ascoltare finalmente quella nota stonata che in realtà aveva sempre sentito, anche quando aveva preferito tapparsi le orecchie.

Ping ping, una nota acuta nell'assolo profondo e travolgente della loro relazione. Un semitono più alto o più basso rispetto all'armonia che avrebbe voluto provare. Se lei era in minore, George era in maggiore. Non sempre. Ma quando lui usava quelle parole grevi, l'accento dialettale, i doppi sensi: *ping*, nota stonata. Quando non coglieva al volo una battuta che chiunque tra gli amici e conoscenti di Allegra avrebbe capito: *ping*, nota stonata. Cadeva tra loro un silenzio imbarazzato che la lasciava delusa. *Ping*, nota stonata. Sintonia infranta.

Quella notte, nel buio insonne, raggelata dagli incubi e dagli inattesi nuovi rischi, si dovette arrendere all'avvertimento. Sì, trovava insopportabile quando George partiva con le sue invettive, azzannando politici e capitalisti, intellettuali e finanzieri. Tutti uniti per fregare la gente comune, almeno nella sua testa. Tirate ideologiche. Chiacchiere da pub. Il mondo in bianco e nero. Anche i giornalisti messi nel mazzo delle *élite*.

Allegra poteva apprezzarne l'onestà, ma i ragionamenti rozzi no. Qualche volta aveva anche pensato che lui fosse un po' *thick*, lento a capire. Conclusione ingenerosa. Semplicemente non aver studiato, non aver letto, non aver esercitato la mente se non per mandare a memoria le strade di Londra creava tra loro un solco profondo.

Se prima sentiva George lontano per singoli aspetti, per episodi isolati, ora la distanza era diventata incolmabile. E comunque ormai *doveva tenerlo* a distanza. Questione di salvezza personale.

"Le indagini non si fermeranno di certo." Lo sapeva, la tormentavano mille pensieri. "Se fosse incriminato rischierebbe quantomeno la falsa testimonianza. O peggio ancora, l'accusa di favoreggiamento," ripeteva tra sé.

Allegra sapeva bene che gli attacchi in Ulster avevano riacceso lo spirito patriottico di George. La sua mancata denuncia del rapimento era dovuta in parte alla simpatia con cui guardava ai paramilitari lealisti.

Era solo vicinanza ideologica o anche supporto organizzativo e logistico? Erano domande legittime. Il suo amante un fiancheggiatore dei terroristi? E poi anche lei sapeva, ma aveva taciuto. La fantasia la trascinava dove non avrebbe voluto approdare. "Posso anche millantare, come giornalista posso raccontare di aver usato George come fonte sugli ambienti dell'estrema destra."

Ma sarebbe bastata qualche semplice domanda ai coniugi Ingram, sarebbe bastato un controllo sulle sue frequenti visite a Bromley per far emergere la verità. L'angoscia dell'incubo divenne terrore. Il rischio era diventato troppo grande.

26

Occorreva capire a che punto fossero le indagini. Il rilascio dell'ostaggio aveva allentato la tensione e la pressione sugli investigatori, ma il loro lavoro continuava, anche se gli sviluppi non erano più da prima pagina. Secondo indiscrezioni, la testimonianza del direttore delle dogane non aveva portato elementi utili all'inchiesta. Era sincero nella sua deposizione? L'antiterrorismo nutriva molti dubbi. "Non è un ragazzino. Ha vissuto gli ultimi anni dei *Troubles*. Sa cosa vuol dire rivelare un dettaglio di troppo. Per lui e per la sua famiglia. Sicuramente non racconta tutto quello che sa e che ha visto," aveva ammesso una fonte confidandosi con Allegra.

Gli incontri erano di persona, niente telefono. La giornalista si trovava con il suo vecchio conoscente al parco di Battersea, vicino a casa e alla sede dei servizi segreti. Comodo per entrambi. Ma il suo discreto interessamento alle indagini, sollecitato dal caporedattore, avrebbe potuto assumere ben altro rilievo in sede giudiziaria. Rischiava anche lei il favoreggiamento, quanto meno verso George. Così incrociava le dita e cercava di restare sottotraccia. Le indagini procedevano soprattutto con le analisi della scientifica e con gli interrogatori di militanti e informatori infiltrati nel sottobosco dell'estremismo unionista nordirlandese. Una testimonianza come quella di George sarebbe stata preziosa. Il numero di membri del commando. Il timbro di voce dell'incappucciato. Gli orari esatti.

George si faceva vivo con lei tra un viaggio e l'altro, con il solito sistema del call center. La sentiva preoccupata. Lo capiva. Lui aveva trascorso anni vivendo in una sorta di terra di mezzo, la zona grigia che separa il buon cittadino dal delinquente, piccolo o grande che sia. Lei invece no, e aveva molto più da perdere. Nonostante tutto, nulla era apparentemente cambiato tra loro. Quel litigio silenzioso, mai esploso davvero, sembrava dimenticato. Gli scambi di baci via Internet. La promessa di rivedersi al più presto. Il languore di una passione interrotta. Anche Allegra si lasciava ancora andare, almeno a parole. Le battute erotiche di George le incendiavano ancora i sensi. Lei gli rispondeva. *Dirty* ed esplicita. Lo immaginava eccitato davanti al computer dell'anonimo call center, schermo e strumento delle loro fantasie.

Come il lockdown prima, anche questa separazione obbligata era un utile alibi. Un limbo benedetto. Dava margine per rinviare la scelta definitiva. Tempo sospeso. Tanto le bastava. Tanto gli bastava. Anche se George avrebbe voluto presto ritrovarsela tra le braccia. Di nuovo a letto insieme. Per ora comunque era impossibile.

I trasporti che la ditta gli affidava in quei giorni erano tutti a corto raggio. Da depositi in Kent o in Surrey ad aziende di lavorazione delle Midlands. Andata e ritorno in giornata, carico e scarico compresi. Probabilmente il direttore pensava che George prima o poi sarebbe stato di nuovo convocato dalla polizia. Meglio dunque che restasse a portata di mano, anche se nessuno glielo diceva chiaramente. Il capo vedeva George arrivare e ripartire con il camion. Non gli chiedeva più nulla. Lo salutava e basta. Si era però informato dell'interrogatorio.

"Come è finita l'altro giorno?" gli aveva chiesto alla prima occasione con la sua vocina fessa. Non aveva detto *Old Bills* o *Coppers* o Scotland Yard. Qualcuno in ditta avrebbe potuto ascoltare. Meno se ne sapeva meglio era.

"Tutto ok. Come ti avevo detto, sono passato dopo. Volevano sapere cosa avevo visto. Nulla. Finita la storia." George ovviamente aveva omesso gli altri dettagli. D'altronde Deloitte e il suo compagno giovane non si erano più fatti vivi in azienda. Quello che serviva l'avevano già portato via in fotocopia. I tracciati del cellulare li avevano ottenuti dalla società telefonica. I fogli di viaggio o i rilievi del tachimetro erano ormai acquisiti nelle indagini.

Il tam tam del Brexit Party intanto volgeva di nuovo al brutto. Sulla newsletter che George riceveva regolarmente finivano ogni giorno le lamentele di chi aveva sognato l'uscita dall'Unione europea e ora si sentiva deluso e tradito dalle conseguenze. Per motivi pratici, come i pescatori che avevano più volte manifestato davanti a Downing Street. O per motivi di principio. "*Get back control*" era rimasto uno slogan. In troppi settori, dalla finanza alla giustizia, gli inglesi avevano ancora le mani legate dalle norme di Bruxelles. Dove erano cambiate, gli effetti erano persino peggiori.

Le chat più estremiste ribollivano di indignazione contro gli scozzesi che avevano rialzato la testa. "Ancora a chiedere l'indipendenza!" In molti gliel'avrebbero concessa pur di levarseli dai piedi. Persino i gallesi si facevano sentire con remoti sussulti di nazionalismo. I nordirlandesi erano comunque i più furibondi. Contro il governo di Londra, e forse ancora di più contro i loro politici locali. Li accusavano di aver svenduto il legame con la madrepatria. Sospettavano vantaggi personali.

"Persino Nigel si fa ormai gli affari suoi," pensava George scorrendo le notizie che riguardavano lo storico paladino di Brexit. Farage era tornato ormai alla sua vecchia professione. *Britain's Revival.* Bella idea. Vendeva consigli finanziari per adeguarsi alle nuove norme, quelle che lui stesso aveva contribuito a creare. Geniale. Cresceva dunque il malcontento dei puri e duri. Cercava strade per manifestarsi. Inutile fare affidamento sui vecchi capi, sui rappresentanti del movimento antieuropeo. Ormai erano quasi tutti uomini di governo, soddisfatti di avere nel frattempo realizzato un piano vaccinale che era un esempio per tutta Europa. La pandemia sembrava ormai sotto controllo. E di fronte alla tempesta Covid anche Brexit era passata liscia. Appariva solo come una brezza serale su un mare già agitato da altri venti. Nessuno ci faceva più caso. Tranne chi ne pagava il prezzo. Danni veri, concreti e quotidiani.

Proteste e lamentele trovavano voce solo in manifestazioni spontanee. I giornali filogovernativi facevano finta di non vederle. In generale se ne parlava poco. La polizia non era morbida con quei dimostranti. Erano ancora in vigore le norme antiassembramento, strumenti utili anche per tenere sotto controllo la piazza. Quei cortei, quelle manifestazioni davano fastidio. Mettevano in discussione la retorica ufficiale su Brexit. Chi ne era vittima cominciava a ribellarsi, e questo non poteva piacere a Downing Street.

L'SMS era chiarissimo: *"Domani, mezzogiorno, davanti al Parlamento."*

Il suo amico Andy, titolare di una piccola azienda di pesca a Falmouth, Cornovaglia, attivista della prima ora, lo avvertiva sempre quando scendeva nella capitale. *"Big stuff"* aveva aggiunto in un altro messaggio. George sorrise. Si immaginava già la scena. Dimostranti arrabbiati. Telecamere e fotografi. I poliziotti a fare da scudo. Qualche incauto deputato preso di mira per strada. "Una bella aragosta sulla testa, ancora viva e con le chele aperte," pensava leggendo gli SMS con la coda dell'occhio. Stava guidando, in rientro a Londra. Lo schermo del cellulare illuminava il buio dell'abitacolo. A quell'ora la M1 era trafficata solo in direzione opposta, in uscita dalla capitale. "Meglio ancora se lanciassero qualche anguilla, di quelle che non arrivano più al mercato di Billinsgate," rimuginava tra sé. Era uno dei misteri per lui più curiosi. Le anguille nordirlandesi erano state bandite dai mercati del pesce in Inghilterra perché le norme europee le consideravano specie in via di estinzione. Quindi ne vietavano l'export verso Paesi terzi, come era ormai il Regno Unito. Erano invece ancora ammesse alla vendita in Ulster, di fatto rimasto nel mercato unico. Un *Risiko* complicatissimo.

Quella sera George stava rientrando da una consegna a Bradford. Un carico di spezie che sembravano indiane, almeno stando ai documenti di accompagnamento. Nessuna sorpresa, vista la quota di immigrati asiatici da quelle parti. "Tutti *Paki*," ripeteva quando le consegne lo portavano nelle Midlands e attraversava quartieri interi che non sembravano per nulla inglesi. Il giorno dopo sarebbe stato libero. Nessun incarico, per ora. Non gli sembrava prudente andare in manifestazione. Non si sarebbe certo schierato in prima linea. Ma un saluto ad Andy lo voleva comunque dare.

27

In un attimo i due uomini lanciarono una corda attorno al collo bronzeo di Churchill. Andy era il più magro. Si arrampicò come uno scoiattolo. Riuscì a cingere la testa dell'amato leader con entrambe le braccia, aspettando un sostegno per l'ultimo balzo. Il secondo scalatore, alto e robusto, giunse in soccorso. Una spinta energica dal basso completò l'opera. *"Hooray!"* Andy si issò con un grido di vittoria. Era riuscito a mettersi a cavalcioni sulle spalle del salvatore della patria, aggrappandosi alle orecchie della statua per tenersi in equilibrio. Gli agenti avevano nel frattempo agganciato i piedi del suo compare più in basso, trascinandolo a terra. Ma ormai Andy era saldo nella sua posizione. Non si sarebbe schiodato facilmente. Il suo sguardo spaziava dall'alto sulla piazza del Parlamento. Guardò in basso: cercava qualcuno. Cercava lui, George. Gli fece un cenno di saluto trionfante sopra la ressa dei poliziotti che accorrevano in disordine. Gli agenti avevano però fatto male i calcoli. La scalata a Churchill era solo un diversivo per attirarli da quella parte della piazza. Lo spettacolo vero andava in scena sull'altro lato.

Un attimo prima, infatti, dalla carovana di camion che faceva girotondo attorno alla piazza si era staccato un piccolo autocarro con il cassone ribaltabile. Approfittando dell'attenzione attirata dai due scalatori, l'uomo alla guida ebbe gioco facile a bloccare il veicolo davanti al primo cancello del palazzo di

Westminster, a poche decine di metri di distanza. Con una mezza retromarcia si mise rapidamente in posizione. Comandò il braccio idraulico e rovesciò il carico. Quintali di pesce marcio si accumularono davanti all'ingresso del palazzo. Gli altri autisti accompagnarono l'impresa con l'urlo di clacson e sirene. Un frastuono infernale sottolineò il messaggio diretto ai deputati e al potere del Parlamento.

I pescatori erano furibondi. Protestavano contro la nuova burocrazia, che richiedeva decine di documenti doganali. Si rallentavano così i viaggi e le esportazioni verso il Continente, principale mercato. Ore e ore di attesa, pesci e crostacei non erano più freschi quando arrivavano a destinazione. I distributori europei si lamentavano, cominciavano a cercare altri fornitori. "*Brexit massacre*", "Il massacro di Brexit" era scritto sui teloni laterali dei camion. Non era quella la Brexit per cui avevano combattuto. Sotto accusa proprio la Camera dei Comuni, madre di tutti i Parlamenti. I deputati avevano accettato un accordo che legava le mani ai marittimi inglesi, scozzesi, gallesi, ripeteva il megafono dei loro sindacalisti. Tradite le promesse di riprendere il controllo delle acque territoriali. I pescatori ci avevano creduto e adesso erano infuriati.

Sentendo il frastuono sull'altro lato, i poliziotti che si erano precipitati verso la statua di Churchill capirono di essere stati giocati. Quelli dietro la cancellata del Parlamento, dotati di mitra dopo l'attentato del 2017, si sentirono presi in giro due volte. Testimoni della beffa a pochi metri da loro e pure impotenti nonostante il loro equipaggiamento militare. Non potevano certo sparare al camionista ribelle e al suo carico odoroso.

Solo due agenti rimasero ai piedi della statua. Gli altri si precipitarono indietro, verso l'ingresso della Camera dei Comuni e il cumulo maleodorante. Già i primi fotografi erano accorsi rapidissimi. La foto del pesce marcio davanti al profilo neogotico più famoso di Londra, cuore della politica inglese, era da prima pagina. Gli scatti cominciavano a circolare sui siti di informazione.

George si godeva la scena. Scacciati gli altri pensieri, da tanto tempo non rideva così. Si era tenuto a debita distanza, all'angolo con Whitehall, verso Downing Street. Ben separato dal centro dell'azione. Non cercava rogne. Aveva fatto bene a rispondere comunque all'invito dell'amico. Lo spettacolo era impareggiabile. Sul rimorchio di un TIR era installato un enorme amplificatore. A intervalli regolari sparava le colonne sonore degli inni più nazionalistici.

"Deputati, ascoltateci," risuonarono le parole indignate del leader della rinata *Union of British Fishermen*. Dissolta da decenni ma ricostituita dopo Brexit, tornata a farsi portavoce delle proteste più dure delle associazioni regionali dei pescatori, che non si sentivano più rappresentate dalla troppo morbida federazione nazionale. Slogan martellanti. "Traditori, venduti, Finta Brexit, vergogna." Messaggi e musica che potevano essere ascoltati in stereo: dai parlamentari alla Camera dei Comuni da un lato e dal governo a Downing Street dall'altro. Questione di poche centinaia di metri. Una posizione strategica che qualunque dimostrante, per qualunque causa scenda in piazza a Londra, conosce bene. Il pesce marcio e lo sberleffo a Churchill avevano scatenato la reazione della polizia. A parte qualche decina di curiosi non c'erano però manifestanti da fermare. Non si potevano invocare neppure le norme anti Covid, visto che gli autisti erano chiusi negli abitacoli dei camion. Continuavano a girare lentamente con i loro colossi a quattro ruote. Parliament Square bloccata. Caos totale.

"*Get him!*" prendetelo! Ma il protagonista della beffa del pesce stava già ripartendo. Un ardito agente fece in tempo ad aggrapparsi allo specchietto destro del camion pirata. Con l'altra mano cercò di raggiungere la maniglia della portiera. Una sterzata brusca gli impedì la presa. Il camion stava aumentando la velocità, con il poliziotto ancora appeso. L'autista in fuga non ebbe esitazioni: con un pugno sul volto lo fece cadere sull'asfalto. Per fortuna il traffico era paralizzato e nessuno lo travolse. L'agente si rialzò imprecando. Il camion aveva già svoltato in Victoria Street, sfrecciando davanti all'abbazia di Westminster, diretto verso la stazione e il ponte di Vauxhall. L'avrebbero fermato certamente, ma non in quei paraggi.

Fuggito il colpevole numero uno, in piazza era ormai sarabanda completa. I camion continuavano a girare in tondo. Un carosello sempre più veloce. Una sfida sempre più eclatante. Alla musica e ai proclami si aggiunsero gli squilli di clacson e le sirene dei grandi veicoli. Andy, sulle spalle di Churchill, aveva indossato un berretto a tre punte. Era il *jester*. Il giullare della rivolta. Guitto capopopolo che faceva le boccacce mentre agenti paonazzi cercavano di allungarsi fino ai suoi piedi. Lui scalciava e li sbeffeggiava, il dito medio proteso. La scena andò in onda su tutti i canali TV e in streaming su tutte le piattaforme, YouTube, Facebook, Instagram. Ovunque. Preavvertiti dagli organizzatori, giornalisti e cameramen erano stati lesti a montare le telecamere, sintonizzare gli zainetti e fissare le antenne paraboliche per le dirette.

La sfida cessò all'improvviso come era esplosa. Un assordante urlare di sirene. Due auto della polizia si misero di traverso, bloccando la strada. Un furgone pieno di agenti chiuse il triangolo. Ne scesero una decina in assetto antisommossa. Elmetti e scudi, manganello e spray urticante. Altri accorrevano dalle strade vicine, dove erano rimasti stazionati fino ad allora, nella errata convinzione che la protesta sarebbe passata senza incidenti. I camionisti, i pescatori e i loro simpatizzanti capirono che il gioco era finito. Il primo veicolo in testa fu costretto a fermarsi. Così si bloccarono tutti. La piazza del Parlamento era ormai un anello di mezzi pesanti in fila indiana. Inerti. Una corona di spine per l'immagine del governo, che aveva guidato Brexit e vedeva rivoltarsi contro proprio i più accesi sostenitori. Più del 90 per cento dei marittimi britannici aveva votato per uscire dall'Unione europea, sperando di pescare e commerciare liberamente. Al 100 per cento ora ne erano scontenti.

L'agente quasi travolto dal killer del pesce marcio zoppicava, ciondolando verso il marciapiede. Aveva rifiutato soccorsi e assistenza medica. Fu discretamente richiamato fuori dalla mischia e si eclissò. Gli autisti della protesta furono costretti a scendere dai camion. Non opposero resistenza. L'obiettivo era stato raggiunto. La manifestazione avrebbe chiaramente avuto grande eco. Quanto fu globale l'avrebbero scoperto solo in seguito. Per ora bastava il colpo d'occhio in piazza.

Gli autisti vennero allineati lungo il muro, dietro le statue dei protagonisti della storia britannica e mondiale che incorniciano Parliament Square. Andy resisteva ancora sulle spalle del gigante. Per disarcionarlo dovettero avvicinare due scale e prenderlo dai due lati opposti. Churchill doveva avere il collo dolorante. Non era la prima volta che veniva preso di mira. Troppo simbolica la sua figura piegata sotto il peso degli anni e delle responsabilità, davanti a quel Parlamento che aveva salvato dalle bombe naziste. La statua era stata spesso imbrattata di vernice. Una volta si era ritrovata persino una striscia di erba verde in testa. Churchill *punk* contro la sua volontà.

Anche Andy alla fine fu portato a terra e finì al muro. Nel frattempo erano arrivati altri manifestanti, un po' attirati dal clamore, un po' avvertiti da militanti amici. I poliziotti erano indecisi se caricare. Qualche centinaio di persone adesso gridavano slogan all'imbocco di Whitehall. Muscoli robusti e poche mascherine. Anche George li seguì, per vedere cosa accadeva al suo amico. Si tenne sempre a distanza, ma attraversò anche lui la strada. Sul grande prato della piazza, di un verde già brillante grazie alle piogge primaverili, i rivoltosi erano tenuti sotto controllo da una fila di agenti protetti da casco e mascherine.

Cominciarono le identificazioni. Agli autisti bastò mostrare la patente. Furono invitati a rimettersi alla guida e a liberare la piazza. Gli attivisti che avevano invece sfidato direttamente la polizia, a cominciare da Andy, ebbero sorte peggiore. Gli agenti strinsero il cerchio attorno a loro. Spuntarono le prime manette. Un furgone si avvicinò al ciglio della strada.

I manifestanti arrivati da poco cominciarono a urlare, pressando da dietro il cordone di polizia: "*Let them free! Let them free!*" Lasciateli andare! La reazione non fu per nulla accomodante. I poliziotti mostrarono i manganelli. Alcuni manifestanti si piazzarono davanti, mentre gli arrestati venivano portati via. "*Shame on you,*" vergognatevi, sibilavano agli agenti più vicini. "*To your own people.*" Alla vostra gente fate così, trattate come criminali i patrioti, gridava un gigante in giubbotto di pelle, la Union Jack tatuata sul cranio calvo. Un poliziotto, casco in testa e visiera abbassata, gli assestò un colpo di manganello sul fianco. L'uomo rispose con un pugno. La seconda manganellata gli arrivò in faccia. L'uomo si accasciò e venne soccorso dai compagni. Lo difesero dagli agenti che lo volevano portare via. Reagirono. Scoppiò un tafferuglio. I poliziotti caricarono.

Nel frattempo i primi arrestati erano ormai stipati nel cellulare. George capì che era meglio allontanarsi. Cercò Andy. Lo vide. I loro sguardi si incrociarono di nuovo. L'amico alzò i polsi ammanettati, facendo al suo indirizzo una V con le dita. Poi fu spinto bruscamente dentro il furgone. Il portellone si chiuse dietro di lui. Sirena e luce blu accesa. Il carico di prigionieri si allontanò veloce. Altro furgone, altri arrestati. George si era già spostato di qualche decina di metri per prudenza.

Il detective Deloitte gli sbarrò il passo. In borghese, come al solito. Sorridente, come al solito.

"Si gode lo spettacolo, Mr. Moore?" George non lo degnò di risposta. Lo superò ma fu subito bloccato da due altri agenti, evidentemente istruiti sul da farsi. Lo tenevano d'occhio.

"*So what?*" E allora? replicò George, per capire che intenzioni avessero. Lui non aveva partecipato alla manifestazione. Né tantomeno era stato coinvolto nella rissa. Aveva guardato a distanza. Cosa volevano gli agenti?

"Portatelo in centrale per l'identificazione, poi si vedrà," ordinò Deloitte.

A George nulla servì mostrare la patente e il passaporto che per prudenza aveva con sé. Fermo di polizia. Ulteriori controlli.

Era ormai sera. Rimase un paio d'ore su una panca nella sala d'aspetto della Metropolitan Police di Westminster. Stavano identificando gli altri fermati e valutando chi trattenere. Con lui sembravano non avere fretta. Era stato arrestato anche l'autista fuggito dopo aver scaricato il pesce e mezzo travolto il poliziotto. Se la sarebbe vista brutta. Era accusato di lesioni, violenza privata e resistenza a pubblico ufficiale.

"Mentre i criminali veri, le puttane dell'Est Europa, gli spacciatori nigeriani, i mafiosi russi e albanesi fanno i signori a casa nostra," pensava George, avvelenato da quell'attesa. Il piantone era gentilissimo. "*Sorry about that,*" gli ripeteva a ogni rimostranza.

Alla fine venne chiamato anche lui.

"*Please, have a seat,*" si sieda, prego. Entrò nello spoglio ufficio dove lo attendevano Deloitte e un altro funzionario. Fu quest'ultimo a identificarlo e ad aprire il suo fascicolo personale. Sicuramente un dirigente di più alto grado. Massiccio e sovrappeso, da tempo non doveva battere la strada. Il detective era in piedi al suo fianco. Si limitava a indicare alcuni punti dei documenti che l'uomo sfogliava lentamente. Dopo qualche minuto, senza scambiare alcuna parola con Deloitte, l'uomo aprì il cassetto al centro della scrivania metallica.

George lo guardava, seduto di fronte.

"Le devo notificare un atto di citazione. È accusato di falsa testimonianza e ostruzione della giustizia," gli disse allungandogli un foglio con la dicitura del Tribunale. "Il giudice non ha autorizzato il mandato d'arresto ma si tenga a disposizione. Le sarà notificata la data del processo. Si trovi un avvocato. Nel frattempo patente e passaporto rimangono qui. C'è il pericolo di fuga all'estero, con il mestiere che fa."

Deloitte scrutava George, ne studiava la reazione. Forse voleva godere di un suo crollo nervoso. O forse era del tutto indifferente. L'aveva incastrato. Doveva avere in mano qualcosa di certo. Le prove del suo doppio passaggio. Della sua menzogna. Le sue speranze di passare indenne attraverso quella bufera cadevano in pezzi.

Un lungo silenzio.

"A meno che non ci voglia finalmente raccontare quello che è davvero successo," aggiunse insinuante il superiore, raccogliendo le carte sulla scrivania.

George rispose con uno sguardo interrogativo.

"I suoi cugini sono stati molto attivi negli anni dei *Troubles*. Abbiamo fascicoli interi su di loro. Prima e dopo l'accordo di pace."

Pausa, attesa inutile di una parola dall'altra parte del tavolo.

"Le hanno mai richiesto di fare trasporti per loro?" si inserì a quel punto Deloitte.

Sguardo genuinamente sorpreso di George.

"Contatti recenti?" insistette il detective.

Freddo lungo la schiena. Non poteva ovviamente cambiare la sua deposizione, ma c'erano sempre quegli SMS a poterlo inchiodare.

"No," rispose deciso. "Non abbiamo mai avuto rapporti stretti... mai visti né sentiti da secoli" azzardò, giocandosi la carta in fondo più vera.

Nessuna reazione degli investigatori.

"'*Course,*" continuò il più anziano, che da seduto guardava George dritto negli occhi. "Peccato per lei, avrebbe potuto fare qualche traffico interessante. Soldi facili, chissà. Contrabbando, droga, c'è tanto da fare al porto di Belfast. Mai incastrati, fur-bi e protetti dall'omertà dei Lealisti, i fratelli Trimble. Anche quando fanno solo gli affari propri. Chissà se c'entrano anche con questa storia. Dev'essere come tornare ai vecchi tempi per molti di loro. Lei che ne dice?" Il poliziotto sembrava divertito dalle sue stesse domande che non si aspettavano alcuna risposta.

Superato il terrore per gli SMS intercettati, George scosse le spalle, un modo per non tradire le sue paure nemmeno con il tono della voce. Deloitte lo guardò dall'alto. Il collega rimase in silenzio per lunghi secondi. Era ormai tarda sera. Erano tutti stanchi.

"Ok, immagino che per oggi le basti questa notifica. Se le viene in mente qualcosa ci faccia sapere, altrimenti rischia che lo scopriamo da soli, e presto," lo minacciò il dirigente.

George prese il foglio coperto di timbri. Lo piegò in due. Poi li squadrò, occhi negli occhi. Prima uno, poi l'altro. I poliziotti lessero nel suo sguardo quello che non gli uscì dalla bocca: "Non sono una spia."

28

George rientrò a casa come al solito in treno. Ebbe un po'
di tempo per ripensare al colloquio. Tono insinuante, non più
minaccioso come nel primo interrogatorio. Quell'accenno
ai traffici dei cugini gli aveva lasciato un retrogusto amaro.
E con quella citazione in Tribunale tutto era cambiato.
Fece attenzione a non disturbare i vicini. La luce della sera
entrava nel salotto dalle tendine bianche bordate di pizzo.
Ne scostò una, quella che dava sul giardino. La città con le
sue luci arancioni occupava l'orizzonte, marziana astronave a
mezz'aria. Più in basso, il profilo buio delle case vicine. Tutto
gli sembrava estraneo. Ostile e minaccioso. Avrebbe potuto
fermarsi al call center e avvertire Allegra. Ma non se l'era
sentita. Lo rattristava sapere che da lei non avrebbe ricevuto
alcun conforto. Da giorni anche il loro sottile erotismo via
Skype si era dissolto in un bollettino di informazioni pratiche
e asettici aggiornamenti.

Lei affettava ancora interesse per quello che gli capitava. I
viaggi, gli impegni di lavoro. Le mancate notizie del figlio. Ma a
George sembrava che volesse solo controllare se c'erano sviluppi
giudiziari. Aveva fatto di tutto per evitare un suo coinvolgimento,
anche se solo indiretto. Ora le comprensibili paure di Allegra
li allontanavano. Sempre di più. Tanto più taciute, tanto più
ostili. Figurarsi se le avesse raccontato che da testimone era

diventato indagato e ora formalmente incriminato. Lo aspettava un processo. L'avrebbe avvertita, ma non quella sera.

Aprì il frigorifero. Mezzo vuoto come al solito. Teneva il minimo indispensabile per un giorno, massimo due. Soltanto quando Allegra dormiva da lui traboccava di cibo. Quando lei se ne andava passava giorni a smaltire le scorte. E poi daccapo. Un moto ondoso alimentare, alta e bassa marea gastronomica. Aprì una scatola di fagioli, scaldò il contenuto in un pentolino. Due fette di pane nel *toaster*. Per una cena senza appetito sarebbe bastato.

Accese il vecchio laptop che teneva sul tavolo. Come aveva fatto compulsivamente per giorni, cercò ancora eventuali novità nelle indagini. Nessuna svolta, nessun arresto. Un fermo, un ex militante UDA rilasciato in poche ore. Il segnale del cellulare spento e riacceso, pensò di nuovo. Una prova molto debole contro di lui. I confini delle celle telefoniche non sono mai esatti. Soprattutto vicino al mare, in presenza di grandi installazioni logistiche, fonti di interferenze, come un porto e tutti i depositi attorno. La polizia doveva avere altro in mano. O forse era solo una tattica per spaventarlo, altrimenti l'avrebbero già arrestato.

Volevano costringerlo a collaborare, non solo su quel caso ma anche in futuro. Per questo gli avevano sequestrato i documenti indispensabili per lavorare. Volevano trasformarlo in un informatore, concluse, mezzo avvelenato mezzo rinfrancato. Di *rats* e *snitches* la polizia ne aveva infiltrati parecchi nei gruppi estremisti di estrema destra. Quelli pro Brexit si ritrovavano spesso in piazza assieme ai fascisti del British National Party e di Britain First. Ovvio che alla fine fossero tutti sotto controllo. Se il malcontento di tante categorie economiche si fosse saldato con quello dei nordirlandesi e i loro gruppi armati, l'ordine pubblico sarebbe davvero stato a rischio.

Collaborare con la polizia l'avrebbe salvato dai fastidi del processo. Ma no. Si indignò con se stesso. Nemmeno da pensarci.

La reticenza del padre, il nascosto senso di colpa familiare erano ancora lì, dentro di lui. A indicargli cosa fare. George tornò alla finestra. Le luci della città trionfavano, ancora più luminose. Levò il dito medio verso quell'indistinto universo di vicende umane che si intrecciano a Londra, la metropoli delle metropoli. Tutte così diverse, tutte così uguali. Così indifferenti a quelli come lui. Dito medio. Aveva recuperato lo spirito guerriero. Se lo volevano affondare dovevano avere in mano zavorre molto pesanti. La depressione non faceva per lui. La delazione ancor meno.

Non dormì molto, l'alba lo sorprese in un risveglio tormentato. Senza patente. Quindi senza lavoro. "Bastardi, non gli bastava il passaporto." Masticava amaro, aspettando che il bollitore fischiasse la temperatura giusta. Un tè bollente, appena intiepidito dal latte freddo.

In ditta David, il direttore, ascoltò il suo racconto e la sua spiegazione. Niente patente, niente trasporti. George non gli disse del mandato del giudice. Riferì solo che gli avevano ritirato i documenti "in attesa di accertamenti".

"Dicono che sono a rischio fuga. Me li ridaranno presto. Appena sarà chiaro che non ho nulla da testimoniare," concluse, sbrigativo. Che ci credesse o meno, il suo capo era solidale. Conosceva George come lavoratore che non si risparmiava. Puntuale ed efficiente. Odiava i *Bobbies* anche lui, come chiunque avesse avuto a che fare con il volto meno presentabile della Metropolitan Police. Minacce e prevaricazioni, anche qui come ovunque nel mondo. Abbastanza da starne alla larga. Così non fece commenti. Con il suo solito tono troppo acuto lanciò una bestemmia e offrì a George di rimanere in azienda come magazziniere. Un incarico temporaneo "finché le cose non si chiariscono" gli disse asciutto. Era quello che George sperava. Oltre che gestire il traffico delle consegne, la *South London Logistic* aveva anche un deposito per le merci in transito. Un magazziniere esperto in più sarebbe servito ora che i controlli sui documenti di viaggio erano diventati asfissianti. Molta burocrazia andava smaltita prima della partenza. In parte online, in parte direttamente in deposito. "*Much appreciated, thank you,*" George rispose secco, per non tradire troppa riconoscenza. Ma era sinceramente colpito. Il capo era l'unico a tendergli la mano.

I camionisti che ruotavano attorno alla ditta di Lewisham si conoscevano un po' tutti. I colleghi furono sorpresi di vedere George in magazzino. "*Big mistake, innit!*" L'hai fatta grossa eh? Quanto di multa? Lo prendevano in giro, almeno quelli con cui aveva più confidenza. Pensavano che a George fosse stata ritirata o sospesa la patente per qualche infrazione. "*How many pints?*" Quante pinte? Poteva essere per guida in stato di ebbrezza. Oppure per eccesso di velocità. Capitava a tutti, prima o poi. Lui lasciava credere che davvero quello fosse il motivo.

Lavorare al deposito gli consentì anche l'accesso discreto ai cellulari altrui. Nessuno gli negava una telefonata mentre aspettavano che il camion venisse caricato. "Ho lasciato a casa il telefonino," si giustificava. Allegra alla prima chiamata non rispondeva mai. Numero sconosciuto, grane in vista. Doveva prima mandarle un SMS: "Sono io." Nulla di più, così bastava. In questo modo riuscì a informarla del *warrant*, delle accuse, del prossimo processo. "Hai già la data?" gli chiese senza commentare. "No," rispose lui, colpito che lei tradisse così poca emozione.

Il silenzio che ne seguì fu ancora più eloquente. "*Don't worry,* ti tengo fuori, non preoccuparti," disse lui, rompendo l'imbarazzo. Ancora silenzio. "Sto usando cellulari di colleghi." Silenzio. "Non possono tenerci sotto controllo tutti." Allegra non reagiva. Ogni parola poteva essere pericolosa. Quello che pensava lo teneva per sé. Il silenzio adesso era da entrambe le parti. Il proprietario del telefonino ricomparve facendogli cenno di chiudere. Doveva ripartire. "Ti richiamo appena posso," concluse George. *"Good luck,"* sentì dire da Allegra prima del clic. Aveva chiuso. Restituì il telefono. Ringraziò il collega.

Tutte le sue certezze cominciarono a vacillare. Se davvero lo avessero incastrato. Se davvero avevano prove certe del suo doppio passaggio e quindi della sua versione falsa. Allegra era donna esperta. Più di lui. Aveva più uso di mondo. Più conoscenza delle leggi. Quel suo prendere le distanze era una condanna ancor prima della sentenza. Davvero era nei guai, guai seri?

Lei in ogni caso al suo fianco non ci sarebbe stata. La lontananza di Allegra non nasceva all'improvviso. La notizia dell'incriminazione era prevedibile. Opzione che lei aveva considerato. Soppesato. Valutato come molto probabile. Per questo aveva già innalzato un muro protettivo. Nei primi giorni il coinvolgimento emotivo, anche se solo telefonico, aveva avuto ancora il sopravvento. Dopo quella comunicazione non accadde più. I cellulari in prestito d'altronde non consentivano telefonate lunghe. Se era impossibile che i numeri dei molti camionisti della ditta fossero tenuti sotto controllo, quello di Allegra invece poteva esserlo. A sua insaputa. Magari anche lei veniva intercettata per altre indagini o per controlli riservati e non ufficiali. Doveva metterlo in conto e chiudere anche con quelle telefonate.

Una settimana dopo George ricevette una lettera del Tribunale. La prima udienza si sarebbe tenuta il mese dopo. Allegra aveva ormai smesso di rispondergli. Lui non poteva insistere troppo. Riprovò dal call center. Chiamate a vuoto.

Dagli articoli di Allegra usciti in quei giorni era chiaro che si trovava a Londra. Non poteva certo essere stata inviata lontano dalla capitale e scrivere un articolo sulle nuove opportunità finanziarie per la City post Brexit. E ancora un'intervista al presidente della Borsa di Londra. Poi un'inchiesta sulla ripresa economica dopo la pandemia, nuovi mercati e nuovi successi. Una sulle donazioni di vaccini in surplus ai Paesi poveri del

Terzo Mondo. Tutti molto ottimistici. Tutti molto a favore del governo. Lei scriveva, lavorava. E non gli rispondeva più.

Almeno dell'udienza la doveva informare, pensava George. Anche perché – diceva a se stesso – se il processo si fosse chiuso bene e in fretta, se fosse finita lì, allora avrebbero potuto rivedersi. Riprendere la loro relazione. Ricominciare la loro storia.

29

I grattacieli di Battersea salivano a fatica. Molti si arrampicavano solo a metà. Non fosse stato per le travi d'acciaio sarebbero finiti ripiegati su se stessi. Vuoti. Lasciati come il Covid li aveva trovati. Un anno prima erano in febbrile crescita. Cantieri pieni di energia, centinaia di operai all'opera, gru stellari a incrociarsi in cielo. Rapidi progressi nella costruzione, scadenze da rispettare, appartamenti già venduti sul progetto. Clienti che ne aspettavano impazienti la consegna. I palazzi svettavano come alberi giganteschi. Così li aveva sorpresi la pandemia, li aveva improvvisamente bloccati con il suo maleficio. Alcuni progetti uccisi nella culla, fermi a livello suolo. Altri avvizziti come bonsai senz'acqua. Allegra li guardava, allineati lungo il fiume davanti a casa. Come aveva sospeso le vite degli umani, così il Covid aveva interrotto mille opere in corso. La ripresa era faticosa. Molte imprese nel frattempo erano fallite. Tutte avevano incontrato difficoltà finanziarie.

Ora la fine della pandemia sembrava ormai prossima. I frutti degli sforzi di quell'anno terribile potevano finalmente sbocciare in un progressivo ritorno alla normalità. Le strutture sanitarie si erano dimostrate all'altezza dell'emergenza. La campagna per i vaccini era stata un successo. Il Premier era euforico. Cancellava così gli inizi titubanti della lotta al virus e gli effetti perversi dell'uscita dall'Unione europea. Era una marcia trionfale. I ministri e i dirigenti economici con cui la giornalista parlava avevano la certezza che si andasse nella direzione giusta. La gente aveva più fiducia, cominciava a programmare di nuovo la propria vita. Una dose, due dosi. Il *booster* già pronto, la sconfitta del nemico ormai in vista.

Allegra si era buttata completamente sul lavoro. Viveva nel terrore di un allargamento delle indagini su Belfast. Avrebbe potuto trovarsi anche lei un giorno sul banco degli imputati, almeno di fronte al tribunale dei colleghi e dei suoi capi al giornale. Gli incubi si erano fatti più frequenti. L'omicidio, di cui si era resa colpevole nel delirio del sogno, si accompagnava alla paura di una condanna vera.

Risvegli notturni e nevrosi diurne. Era sempre più insofferente agli incarichi che il caporedattore le affidava. Era la migliore. Così le venivano riservati i compiti più difficili. La *mission impossible* che solo lei poteva affrontare e risolvere: descrivere sempre il bicchiere mezzo pieno. Era bravissima a non scrivere falsità, come spesso invece facevano i tabloid. Mai scorretta. Anzi, sempre precisa e documentata. Ma sempre altrettanto parziale. I suoi articoli erano inattaccabili, ma costantemente dalla parte del governo. Il caporedattore con lei giocava a carte scoperte. Le chiedeva un pezzo sul commercio post Brexit e si aspettava una descrizione dell'uscita dal mercato europeo senza intoppi, vantaggiosa per i consumatori inglesi. Doveva esaltare la prospettiva di un interscambio senza dazi con gli Stati Uniti mentre nella realtà le trattative erano ferme. Celebrava l'eccellenza delle università, in testa a tutte le classifiche mondiali, omettendo di ricordare la perdita di centinaia di milioni di fondi europei e i conseguenti danni ai progetti di ricerca comuni. E ancora il calo drastico di studenti dal Continente, scoraggiati dal raddoppio delle rette accademiche. L'emorragia di docenti e ricercatori europei. La fine della collaborazione con il progetto Erasmus.

Il tetto di stipendio minimo necessario per ottenere il visto, troppo alto per molte categorie, drenava poi gli arrivi di lavoratori dall'estero. In poco tempo sarebbero davvero rimasti solo *British Jobs for British people*. Ma il personale locale non era sufficiente e così crescevano i disservizi, dai trasporti alla grande distribuzione. Mancavano medici e paramedici e poi camerieri, cuochi, addetti all'agricoltura. Tutti europei tornati nei loro Paesi.

Il bicchiere mezzo pieno andava a meraviglia per il giornale. Meno per la credibilità di Allegra, che non voleva impiccarsi professionalmente a quell'albero di ipocrisie. Rischiava di non avere in futuro più mercato. Bastava vedere gli sguardi e immaginare i pensieri dei colleghi degli altri piani del *News Building*. A cominciare da quelli del *Times* rimasti al *Times*.

Anche il trattamento che stava riservando a George era un peso sulla coscienza. L'aveva scaricato senza dirglielo. Si creava alibi di ferro per fuggire.

"Non possiamo fare altrimenti. Poche telefonate. Con i cellulari in prestito devono essere brevi per forza," si giustificava, sapendo che era solo una scusa anche quella, come il Covid. Non c'era neppure modo di chiedersi se potesse salvarsi qualcosa del loro rapporto. Nemmeno la possibilità di parlarsi onestamente per un'ultima volta. Lo doveva soltanto tenere alla larga, anche se con infinita tristezza. E basta. Di nuovo sola, mentre per la strada vedeva gli altri ricominciare le loro vite.

La primavera era nel pieno, la temperatura riscaldava il cuore. Le piante di magnolia riempivano di nuvole bianche e rosa i giardini e gli occhi dei passanti, tornati numerosi. Sempre meno mascherine sui volti. I locali pubblici stavano riaprendo, molti avevano già ricevuto la dose di richiamo ed erano liberi di abbracciarsi, di andare a trovare i parenti, di incontrarsi con gli amici.

Il loro strano amore sarebbe stato scoperto, non avrebbe comunque retto davanti al tribunale del mondo esterno. Ma già lo rimpiangeva. Era durato solo nello spazio astratto della pandemia. Un sorriso tra mille orrori. Adesso che gli altri potevano gioire lei tornava a chiudersi in se stessa. Il sole, le risate. Le grida dei bambini all'uscita della scuola. I gruppi di ragazzi che facevano capannello. Tutto strideva contro il metallo della sua corazza. Avrebbe potuto essere felice? Forse. Ma con George era troppo tardi.

Le tensioni al giornale la spinsero a rientrare regolarmente in redazione. Ormai lo *smart working* era una scelta. Non più un obbligo. Per prudenza ricominciò così i suoi turni quotidiani in ufficio. Nei momenti critici le assenze pesano il doppio. Telefono e videochiamate non bastano più, diceva tra sé. Tutti erano assuefatti ai rapporti digitali, e stanchi. Ci voleva un caffè insieme, una chiacchiera di persona. Lavorare in redazione era anche un modo per muoversi, uscire di casa, mangiare di meno. Un'insalata o un sushi erano le sue opzioni preferite tra i locali attorno al giornale. Tavoloni collettivi. Bevande vegane.

Zero calories. Zero sugar. Zero tutto.

"*Lunchbreak,*" annunciò anche quel giorno il caporedattore, in vena di cordialità. Il momento della pausa pranzo in realtà ciascuno lo decideva autonomamente. Il via libera collettivo dava però il senso di un ritmo comune, di un equipaggio compatto come invece proprio non era. Allegra fu veloce a infilarsi nell'ascensore prima degli altri. In pochi minuti arrivò da *Wagamama*. Ordinò al bancone. Si sistemò a un tavolo. Posto isolato. Attese che il cameriere le portasse il suo piatto unico e un tè verde.

George si sedette di fronte a lei. Era sbucato dal nulla? Oppure Allegra era distratta e non l'aveva notato prima? Fu uno shock.

"*Are you mad?*" Sei impazzito? gli disse a bassa voce.

"Non rispondi più. Volevo vederti."

"Ma noi NON dobbiamo vederci. Nei guai ci sei tu, non io. Per ora. Non ci deve vedere nessuno insieme."

"Lo so, ma non c'è nulla che ti colleghi a me. Non mi stanno pedinando."

"Non lo puoi sapere. Anche il tuo alibi doveva funzionare, e guarda com'è andata."

"Finirà il sei del mese prossimo, c'è l'udienza alla Royal Court of Justice."

"Stai zitto, non mi interessa."

A quell'ora il tavolone del locale era per fortuna tutto per loro. Allegra si guardò attorno e si tranquillizzò. Con quel tono di voce non li potevano sentire neppure dai tavoli più vicini.

"Vattene, potrebbero vederci."

"Be', magari voglio raccontare la mia storia a una giornalista famosa," disse lui, cercando il suo sguardo.

Era una battuta. Ma per Allegra fu subito una minaccia.

"*Fuck off*. Comunque è finita. Era finita da prima. Questa storia mi ha solo aperto gli occhi."

"Questa storia si chiuderà presto. Saremo di nuovo soltanto noi."

"Questa storia... Ma se non sai nemmeno cos'è, questa storia."

Allegra aspettò lo sguardo interrogativo di George. Lo attese. Una lunga pausa. Il sorriso irridente della giornalista che ne sa più degli altri.

George non voleva farsi distrarre, ma la sicumera con cui lei lo aveva spiazzato gli fece sospettare che la battuta non fosse solo un diversivo.

"Cioè?" dovette cedere.

"Cioè non sono tutti duri e puri come fai finta di credere. La bandiera dell'Ulster britannico non c'entra nulla. Il sequestro è una faida fra trafficanti. Altro che rapimento politico. Un regolamento di conti per la droga. Punizione per uno sgarro del direttore del porto. Uscirà prima o poi la versione vera. Per adesso illudetevi pure, voi, fatevi accecare dall'ideologia."

Il colpo basso arrivò a segno. Più bruciante di acido sul viso. Più profondo. Cercò di non darlo a vedere. Come non avesse sentito. Come non gli importasse di aver inseguito una chimera.

Ancora una volta. La conferma dei suoi peggiori sospetti, a cui non aveva voluto credere. Ebbe la freddezza di ripetere quello che gli interessava davvero in quel momento. Non Belfast, ma Londra. Lei. Loro due. Un estremo tentativo.

"Per me questa storia finirà presto nel nulla. Anche in caso di condanna sarà comunque lieve. Mi terrò un po' alla larga. Poi saremo di nuovo soltanto noi," ripeté, insisté.

"Non c'è mai stato un *noi*. Siamo troppo diversi."

"Ma ti sei vista? Sei sbiancata, non riesci nemmeno a guardarmi negli occhi." George allungò la mano per accarezzarle la guancia, Allegra l'afferrò a mezz'aria. La strinse nella propria. Le tenne insieme davanti al viso contratto in una smorfia di rabbia.

"*I feel violated,*" disse a voce alta. Non tanto da suscitare allarme, ma abbastanza da essere sentita in tutto il ristorante. E poi, in tono più basso: "Stai bene attento. Togli questa mano. Hai già abbastanza guai anche senza una denuncia per *stalking*."

E poi, di nuovo ad alta voce: "*I feel abused,*" mi sento abusata. L'indice sinistro levato ora verso di lui.

"*Me too,*" sibilò George. Ritrasse la mano, si alzò, uscì in fretta dal locale.

Il cameriere si avvicinò come a proteggerla. "*Are you ok?*" chiese ad Allegra.

Gli altri clienti guardavano.

"Sì, grazie. Cancelli la mia ordinazione per favore. Preferisco andarmene."

George era già sparito. Anche lei si allontanò prima che qualcuno si sentisse in dovere di chiederle altro.

30

Era un abusatore lui per averla cercata, per avere imposto la sua presenza, per averle mostrato che ci teneva? O era un'abusatrice lei, a essere sparita senza spiegazioni per mettersi al riparo? Per difendere la propria vita e la propria carriera? Schiacciando sotto i piedi sentimenti e sensibilità? Al rientro in ufficio non aveva salutato nessuno. Si era nascosta dietro lo schermo del computer. Tenne sul naso gli occhiali da sole. La giornata primaverile lo giustificava. Uno scudo contro gli sguardi dei colleghi. Altrimenti avrebbero capito subito che non stava bene.

Era turbata, scossa.

Il caporedattore invano le aveva fatto cenno vedendola passare veloce davanti al suo acquario. Un paio di altre occhiate a distanza, senza risposta. Il trillo del telefono interno. "Puoi venire un momento, *pleeease*?" Il tono strascicato sottolineava l'irritazione per essere stato ignorato. Allegra si alzò controvoglia. Entrò nella stanza e chiuse la porta alle sue spalle, come faceva d'abitudine quando Jeremy la convocava. Lui teneva gli occhiali sulla fronte. Gli servivano per vedere da vicino, ma adesso voleva scrutare bene la collega. Vide la sua espressione strana, la testa altrove. Cominciò comunque a parlarle del prossimo servizio.

"Facciamo ancora due pagine sul sequestro," disse. "Tim segue le indagini. Un pezzo di cronaca con indiscrezioni sui sospettati. Citerà anche la pista della droga, anche se per ora rimaniamo su quella più accreditata di un'azione settaria. Quindi serve il quadro politico. Devi spiegare tu come si è arrivati a questa situazione. Riepilogare il braccio di ferro Londra-Bruxelles sul Protocollo nordirlandese e il controllo delle merci verso l'Ulster."

Allegra annuì senza fare domande.

Così il capo proseguì: "Voi due sarete la quarta pagina. Il rapimento è un fatto rilevante ma da non gonfiare troppo. Non è da prima." Su questo lei aveva qualche dubbio. Ma il *Sunday Times* non voleva soffiare sul fuoco del nazionalismo in Ulster, spina nel fianco del governo.

"In quinta avremo poi l'intervista con il ministro e a fianco metteremo un editoriale di John Naughton."

A sentire quel nome Allegra tradì un impercettibile movimento di labbra, segno di totale disapprovazione. Era costui un docente di storia inglese, accademico di professione, noto per numerosi libri sulle spinte nazionaliste all'interno del Regno Unito, diventato uno dei commentatori di punta del giornale. Molto gradito perché molto schierato politicamente. "Ha già scritto il suo articolo," continuò Jeremy. "Fortissimo: l'Unione europea che vuole prendersi la rivincita, strangolare il commercio del nostro Paese. La solita Europa a guida tedesca. La Germania sempre sconfitta in guerra e ancora lì a dettare legge. Il tuo pezzo deve appunto spiegare che i trattati si interpretano e l'interpretazione europea è anti-inglese. Per questo ci sono tutti questi problemi in Ulster."

Allegra aveva capito benissimo. Conosceva la narrativa del Premier e dei media filogovernativi. Brexit come vittoria mutilata. Colpa degli altri se le cose non andavano bene, se l'accordo con Bruxelles era diventato capestro, se la gente si lamentava.

Non voleva scriverlo, quel pezzo. Sia perché era un ennesimo servizio troppo partigiano, sia per non doversi occupare proprio lei del rapimento di Belfast. Era un compito molto più rischioso di quanto mai potesse supporre il caporedattore. D'altronde quella era la notizia più importante e lei era la corrispondente parlamentare di punta. Le toccava. Si sentì chiusa in un angolo. Intrappolata. Doveva sfilarsi da quell'incarico.

Sbottò, forzando i toni: "Lo sai benissimo che non è così."

Jeremy la guardò stranito. Si era già rimesso gli occhiali e aveva ripreso a fissare il monitor, convinto che quelle istruzioni bastassero.

"È una bella versione di comodo," continuò lei, infervorandosi. "La realtà è diversa, come sai bene anche tu. Gli accordi sull'Ulster erano nebulosi fin dall'inizio e sono stati lasciati incerti apposta. I controlli doganali sono quelli previsti dal trattato, non sono un'imposizione a sorpresa. L'Irlanda del Nord prima era pacificata grazie all'Europa. Adesso ci ritroviamo invece con gli stessi dilemmi, le tensioni e i conflitti di secoli. Non c'è nessuna vittoria mutilata, nessuna Brexit tradita. Quella che abbiamo raccontato in questi anni era una *Fantasy Brexit*. Prometteva un mondo che non esiste. *Global Britain?* Mica abbiamo ancora colonie e impero! Siamo un grande Paese, ma adesso il mondo è ancora più grande. Come lo vuoi tu, il pezzo, non sta in piedi e io non lo scrivo."

Jeremy non era pronto a quella tirata. Sorprendente sia dal punto di vista giornalistico sia da quello umano. Avevano avuto i loro dissensi, ma Allegra non aveva mai rifiutato un incarico.

Prese tempo con un interlocutorio: "*Excuse me?*"

"Hai sentito bene, sono stufa di scrivere articoli che vedono solo un pezzo di realtà. Il successo del piano vaccini ma non il disastro del bilancio dei morti. L'import-export senza intoppi e non piuttosto il crollo dell'interscambio. Per non parlare dello strapotere degli investimenti arabi e cinesi. E il riaccendersi delle mire scozzesi all'indipendenza, la voglia di unificazione dell'isola d'Irlanda. Era tutto prevedibile. Altro che Brexit mutilata."

Allegra respirò e tacque. Aveva espulso in un colpo solo veleni e riflessioni che l'agitavano da mesi.

"Forse hai ragione, molto poteva essere previsto. Ma sono ostacoli temporanei. Si supereranno. Nel frattempo serve il *blaming game*. Trovare un colpevole è sempre meglio che ammettere gli errori," replicò Jeremy, asciutto e più cinico del solito.

Allegra stava per andarsene, ma lui la bloccò con un gesto. Non aveva ancora finito. L'attacco fu violento e personale: "Non importano i danni che Brexit produce. Succeda quello che deve succedere. L'hanno detto molte volte a Downing Street. È una scelta di principio. Se vuoi ideologica. Non importa se causa disagi. O disastri. L'importante è essere fuori dal carrozzone europeo. Da soli ce la caveremo. I britannici, gli inglesi se la sono sempre cavata. Si deve scegliere solo da che parte stare. Finora hai fatto carriera cavalcando questo disegno. Adesso vuoi tornare vergine denunciando che è una falsa promessa? Alla tua età mi pare un po' complicato."

Per Allegra fu più che sufficiente.

Tornò al suo desk, seguita dallo sguardo avvelenato del capo e da quello curioso degli altri colleghi nel frattempo rientrati dalla pausa pranzo. Le discussioni erano all'ordine del giorno, ma quella sembrava una lite in piena regola. Solo l'*understatement* d'obbligo, DNA della loro classe sociale e intellettuale, aveva impedito che le voci si alzassero troppo. Ma si erano fatti a pezzi ugualmente. In modo discreto e tanto più lacerante.

Allegra sfogliò un paio di riviste prese dalla scrivania vicina. Da tempo leggeva i giornali solo in digitale. Il collega invece amava sfogliare le pagine, come una volta. Attese di far scendere la temperatura della propria ira. A mente fredda cominciò a raccogliere materiale sul Protocollo per l'Ulster che tanti problemi stava creando. Il documento lo conosceva. Avrebbe fatto un paio di telefonate. Il governo aveva incaricato il proprio negoziatore di continuare a pressare Bruxelles. Non era solo il *Sunday Times* a denunciare la vittoria tradita. Il mito di Brexit mutilata era narrazione unanime dalle parti di Downing Street. Stampò alcuni documenti. Li raccolse in una cartelletta. Prese borsa e tablet. Uscì salutando cortesemente i colleghi e con un cenno della mano anche il suo capo.

Appena fuori dall'ascensore al piano terreno la raggiunse un SMS di Jeremy:

"*Sorry about that*. Cento righe per domani sera."

31

Il giorno dopo Allegra aveva indugiato al risveglio, restando a letto molto più del dovuto. Un'altra notte agitata. Sperava di recuperare al mattino un po' del sonno perso nella veglia a singhiozzo. La luce del giorno però si impose man mano, trafiggendo le tende sottili. Per l'articolo aveva tempo. Cento righe, con un taglio preciso. Fin troppo. Le informazioni le aveva già a portata di mano. Era veloce nella stesura. Non avrebbe avuto difficoltà a finirlo per la sera come richiesto. Doveva piuttosto chiarirsi le idee. Colazione abbondante guardando le news. Una corsa sul fiume, a poca distanza da casa. Se l'assembramento dei palazzi nella ex centrale elettrica di Battersea le dava fastidio, tanto fitto e claustrofobico le sembrava, era sempre una gioia per lei raggiungere la riva del Tamigi. Soprattutto in quella stagione. Temperatura tiepida. Il verde degli alberi intenerito dalle nuove foglie. La lenta corrente del fiume, le acque meno scure del solito, illuminate dai riflessi del cielo turchino.

Al rientro dalla corsa il portiere le consegnò una busta. "Portata poco fa a mano, *Madam.*" Nessuno stupore nelle parole del *concierge*. Il mestiere della giornalista giustificava anche consegne riservate e con mezzi fuori moda ma molto più sicuri di quelli elettronici. A mano, dunque, come a mano era scritto il suo nome e il numero dell'appartamento. Nessun indirizzo.

La grafia non le diceva nulla. Mittente misterioso. Si preoccupò. Forse qualcuno dei mitomani, dei disturbatori digitali che intasavano di messaggi i suoi social era riuscito a scoprire il suo indirizzo? Idea sgradevole. Ringraziò, entrò nell'ascensore e aprì la busta in fretta, usando l'indice come tagliacarte.

"*Hello there*" Si fermò alle prime parole.

George, ne fu subito sicura.

Arrivata al piano, uscì dall'ascensore, inserì la chiave nella toppa e aprì con un gesto automatico la porta di casa. Gettò per terra l'asciugamano che aveva portato con sé. Doveva cominciare a preoccuparsi di quella nuova intrusione, a casa sua, nel suo palazzo? Poteva davvero trasformarsi in un incubo, George? In uno *stalker*? Del resto non aveva molto altro da fare se non perseguitarla. Certo doveva aver fatto uno sforzo straordinario per prendere carta e penna. E per tornare in città a consegnare la lettera dopo il litigio del giorno prima.

"*Hello there, what an ending.* Che finale. *Non sono bravo con le parole. Confesso che non prendo in mano una penna dai tempi della scuola. Al massimo ho firmato documenti e carte. Ma qualcosa te la devo dire, perché sei stata importante per me. Molto. È chiaro che non ho mai avuto una donna come te. Non rientri nel giro di persone che posso frequentare. Ci siamo incontrati per caso. La mia passione politica e il tuo mestiere. Sei una donna affascinante. Mi hai spiegato il senso di quello che fai, di come vivi. Ti ho ascoltato. Ti ho creduto. Ci siamo amati. Ti sto ancora amando.*"

Allegra fece una pausa. Si sorprese commossa.

"*Ieri ero venuto solo per vederti. Forse anche per capire meglio i miei sentimenti. La tua reazione mi ha offeso e ferito. Ma anche liberato. Per la prima volta ti ho visto con occhi distaccati. E quello che avevo davanti non mi è piaciuto per niente. Ho visto una donna piena solo di sé, che in fondo mi ha sempre guardato dall'alto. Il Covid ci ha protetti. Senza il lockdown mi avresti scaricato molto prima. Anche dopo la notte più intensa sentivo che qualcosa dentro di te rimaneva distante. Dopo Belfast hai alzato un muro. Ti sei difesa. Fair enough. Hai pensato che la tua carriera viene prima di tutto. Prima di me di sicuro. Non mi hai più dato possibilità. Ti sei guardata allo specchio, ti sei vista troppo bella e importante per rischiare. Non hai pensato che anche questa bufera potrebbe passare presto. Non lo hai nemmeno messo nel conto. Quando ci sarà un epilogo, bello o brutto, ti ritroverà da sola. Con i tuoi incubi. Mi sono fatto una idea: sei tu la vittima dell'omicidio dei tuoi sogni. Tuo il cadavere che non sai riconoscere. Ti senti in colpa per aver ucciso una Allegra che sapeva amare, che riusciva ancora a lasciarsi andare senza calcoli e senza interessi. Che faceva il suo mestiere con onestà. L'hai uccisa e ne senti la mancanza. Forse. Hai scritto cose che non pensi. Sposato idee che non condividi. Io almeno ci ho creduto, anche se ci stanno tradendo di nuovo. Tu non hai creduto nemmeno in te stessa. Lo posso dire, io che ti ho conosciuto. Almeno un po'.*

Good luck per la tua vita. La mia la rimetterò in sesto da solo."

Allegra sprofondò nel divano, le guance rigate di lacrime, un enorme senso di vuoto dentro. Nello specchio che George le aveva messo davanti c'era la sua verità. Il successo e la notorietà le rimandavano invece un'immagine deformata. Ritoccata come un lifting. Si vedeva bella, potente, libera. Si vedeva come voleva credersi. Ma quell'impietoso ritratto senza *make-up* le mostrava un'altra realtà. Non piaceva nemmeno a lei quello che George descriveva. Una persona chiusa, egoista, narcisista. Dedicata alla carriera per volontà di farsi valere, di apparire, non per passione autentica.

Immersa nel sofà vedeva il profilo incombente dei palazzoni di fronte. Le loro mille finestre come occhi aperti a scrutare il suo pianto.

Trascorse mezza mattinata immobile. Raggomitolata nella coperta, come per trovare in se stessa un po' di calore umano. La giornata era sbocciata luminosa. Il sole si era fatto strada tra le nuvole bianchissime di primavera. Passavano veloci davanti alle grandi vetrate dell'appartamento. Allegra era rimasta in tuta da ginnastica. Le scarpe da jogging lasciate sul pianerottolo, un'abitudine presa durante la pandemia e tollerata anche dai lamentosi dirimpettai. Alla fine si alzò, andò alla porta, se le infilò di nuovo. Scese le scale e ricominciò a correre. Correva senza pensare, voleva soltanto raggiungere la stazione della metropolitana. Linea nera. Un viaggio. Due cambi di treno. L'unico modo veloce per attraversare la città.

Sbucò sulla collina di Hampstead che era primo pomeriggio. Il sole era pieno. Le nuvole spiegazzate dal vento si erano radunate all'orizzonte, lasciando libero sopra di lei il cielo luminoso di azzurro. Quando cercava pace doveva tornare lì, nel villaggio vittoriano diventato il quartiere più elegante di Londra nord. Le ville nel verde, le stradine arrampicate sui dossi che portano al grande parco. Le lunghe fila di casette a schiera ottocentesche trasformate col tempo in magioni extralusso. Da Birmingham erano approdati lì i suoi genitori per concludere una vita diventata agiata almeno alla fine. Volevano essere vicini alla loro unica figlia già lanciata nel mondo del giornalismo londinese. A Hampstead mamma e papà avevano scelto di essere sepolti insieme. Avevano desiderato quella tomba, proprio in quel cimitero, ancora più della loro casa da milionari. Allegra ne aveva capito il motivo soltanto quando se n'erano andati entrambi, a distanza di pochi mesi, un paio d'anni prima.

Nel piccolo camposanto della chiesa di St. John il tempo sembra immobile. E il mondo attorno pure, in segno di rispetto. Le lapidi di pietra si ergono su tombe interrate, allineate lungo vialetti perfettamente in ordine, senza erbacce, ripuliti tutti i giorni dai volontari della parrocchia. I fiori sono liberi di crescere tra un sepolcro e l'altro. La natura nella natura. La vita che rinasce dalla morte. Pochi monumenti, nessuna statua. Una lunga sequela di lapidi di rustico granito. Non levigate, soltanto un po' slavate dal tempo e dalla pioggia. Molte davvero antiche. Fin dal Seicento è un luogo di riposo per defunti illustri, come il pittore Constable, che amava raffigurare quelle nuvole in viaggio nel cielo inglese.

Allegra sentiva sacro quel terreno per le vite che accoglieva nel loro silenzio eterno. La visita era un momento di serenità. Era felice che i genitori le avessero imposto la gioia di andarli a trovare proprio lì, in quel luogo così speciale. Scegliendo di riposare per sempre tra quei vialetti la costringevano a uscire ogni tanto dalla frenesia della città. Londra continuava a ronzare ai piedi della collina. Enorme, distante e fastidiosa. Lì, invece, era un Paradiso che non faceva differenze. Dove regnava solo la pace che accoglie tutti.

Vagabondò tra le tombe, lesse i nomi e le brevi dediche. Messaggi Twitter ante litteram, pensò. Scolpiti nella pietra, a perenne memoria di intere esistenze. "Valoroso e pio", "Madre devota e insegnante impareggiabile". Chissà a cosa corrispondevano quei ritratti, elogiativi per forza. Le più affascinanti erano le tombe del Settecento e dell'Ottocento. Nomi e anni legati alle guerre combattute dagli inglesi ovunque e sempre, su ogni fronte. Caduti in battaglia, morti giovani.

Arrivò alla sezione più recente che accoglie i contemporanei, onorati di avere trovato posto in quel Pantheon. Per Laura Finchley e Matt Brewer, i suoi genitori, due lapidi semplici, essenziali. Il nome e la data di morte. A loro era bastato essere vicini. Allegra si sedette sul bordo della tavola in pietra. Rilesse i loro nomi. Li ripeté come una preghiera. Accarezzò petali azzurri. Il gelsomino era già spuntato. Primule e violette si facevano strada. Qualcuno doveva avere distribuito semi sulle tombe. Non c'era nemmeno bisogno di portare i fiori. Crescevano da soli. Accarezzò quelle corolle piene di colore. Smosse la terra umida e fredda. La lisciò sotto il tocco delle sue dita. Rimase assorta. Qualche visitatore percorreva i vialetti leggendo le lapidi come un turista. Qualche parente ripuliva la pietra e le incisioni sul granito.

Il pomeriggio cominciava ad accorciarsi verso la sera. Il tempo rimasto per l'articolo era davvero poco.

Allegra lasciò il cimitero e si rintanò in una pasticceria della High Street di Hampstead. Ordinò un latte, sedette a un tavolino. Si fece prestare carta e penna. In tasca si era portata solo il bancomat. Cominciò a scrivere. Una breve interruzione per ritirare al bancone la tazza fumante. Si sedette di nuovo e continuò a scrivere. Rilesse aspettando che il latte si raffreddasse. Pensierosa, cominciò lentamente a bere. Per la prima volta lo sentì. Si rese conto di quanto fosse caldo, animale, primordiale. Di quanto quel liquido bianco fosse vero.

Alla fine tornò per strada. L'aria della sera adesso la infreddoliva. Si infilò di nuovo nelle viscere di Londra. Per fortuna la fermata di London Bridge era sulla linea giusta, così il viaggio a ritroso fu molto più breve. Un salto al giornale lo doveva proprio fare. Non ebbe nemmeno il tempo di rabbrividire all'uscita per la brezza che soffiava tra i grattacieli. Non si fece scrupolo di arrivare in redazione in tuta. L'aveva fatto altre volte, anche se nel tardo pomeriggio era un po' strano. Un cenno di saluto al portiere, elegante come sempre nella sua livrea da maggiordomo. Ascensore deserto. Il caporedattore dal suo acquario la guardò entrare veloce, prendere un paio di cartellette dai cassetti della scrivania e affacciarsi alla sua porta.

"Tutto ok? Cominciavo a preoccuparmi," le disse, pensando all'articolo da impaginare.

"Tutto ok, ecco qui," rispose Allegra tendendo il foglio ripiegato.

"Bastava una email," disse lui, ironico.

"Meglio la firma a mano," sorrise lei di rimando. "Se devo tornare vergine meglio fare le cose per bene."

Non si fermò a osservare l'espressione perplessa di Jeremy.

Poteva ben immaginare lo stupore del caporedattore nel leggere le poche righe di dimissioni che gli aveva lasciato.

La sua rabbia quando capì.

Allegra si era già infilata per le scale. Una decina di piani percorsi velocemente in discesa le fecero bene. Salutò di nuovo il *concierge* che ricambiò gentile, l'occhio intrigato dalle sue forme fasciate dalla tuta. Appena oltrepassata la grande porta a vetri automatica incrociò un gruppetto di colleghi del *Times*. Stavano commentando la furibonda lite pubblica del Premier con il ministro dei trasporti, ultimo episodio dell'ennesima faida in corso a Downing Street. Con un *bye* strascicato li salutò tutti e ricominciò a correre verso il lungo fiume, respirando l'aria fresca di una sera limpida e luminosa.

32

"Una storia di droga?" ripensava nervosamente. George si strinse con titubanza il nodo della cravatta. L'aveva rifatto una mezza dozzina di volte quella mattina prima di riuscire a dargli una forma accettabile. Non gli capitava mai di metterla, nemmeno ai matrimoni. Il sospetto continuava a rodere. Sui giornali in realtà non era ancora trapelato molto. Ma se avesse avuto ragione Allegra? E allora? Perché essere leale? E nei confronti di chi? Dei due estranei cugini che facevano soldi con i loro traffici illegali? Finire nei guai per coprire squallidi mafiosi portuali?

Oppure quella versione era frutto dei veleni di una ex, paranoica per mestiere? Donna ossessionata dalla dietrologia, corrosiva con se stessa e con gli altri, pronta a insinuare l'ipotesi della criminalità locale per farlo soffrire? Aveva seguito anche lui le cronache delle indagini. Qualche articolo faceva balenare in effetti anche la pista di un regolamento di conti fra trafficanti, un avvertimento al direttore di quel porto da cui transitavano carichi di eroina e cocaina per tutta l'isola. Ma per gli investigatori il filone principale rimaneva lo stesso: un'azione dimostrativa dei Lealisti in chiave anti Brexit.

Eppure. Eppure. Poteva essere davvero solo una messinscena? Una copertura per ben altri interessi? La testa gli girava, confusa da mille pensieri.

Si accarezzò con la mano l'attaccatura dei capelli. Rimise a posto qualche punta ribelle che si allungava all'insù. Si guardò con calma allo specchio. Vide l'immagine di quello che era. Un solido militante che combatteva per una bandiera negletta da troppi. Giudici compresi. *Fuck them.* Non era il momento di avere ripensamenti. Di confondere se stesso e soprattutto gli altri che aspettavano il suo processo come un'occasione per farsi sentire. Una condanna leggera per reati minori era quanto di meglio George potesse sperare. La sua notorietà negli ambienti nazionalisti era cresciuta. Ne sarebbe uscita esaltata. Gli avrebbe lucrato riconoscenza e una solida rete di protezione in futuro se le cose fossero andate davvero male. Non aveva tempo per pensare troppo. Non adesso.

All'ingresso della Royal Court of Justice fu accolto da una piccola folla di simpatizzanti. Gli fecero ala mentre entrava nell'edificio neogotico falso medievale che conosceva bene. Tanti erano stati i clienti che aveva portato lì in taxi. Anime perse che sarebbero finite in galera. Anime in pena perché accusate ingiustamente. Avvocati idealisti e avvocati faccendieri. Giudici giusti e giudici corrotti. Sembravano giocare, ma lo facevano sulla propria pelle e su quella altrui. In gioco mettevano non solo soldi, ma anche anni di vita. Entrando in quel palazzo le loro esistenze sarebbero in ogni caso cambiate. Adesso toccava a lui.

"*Patriot, patriot, patriot,*" gli gridò un gruppetto di militanti in attesa all'ingresso. "*Pride and honour.*" Orgoglio e onore, gli slogan dell'estrema destra inglese. La sua vicenda, il passaggio a Belfast, il suo rifiuto di collaborare alle indagini anche dopo il recente arresto di sei Lealisti nordirlandesi avevano cominciato a circolare nelle chat e nei messaggi Facebook. Lo avevano fatto conoscere anche fuori dal suo giro di Brexitari. Alcune di quelle facce gli erano note, molte invece nuove. Qualcuno lo raggiunse con una manata sulla spalla. Nei loro volti vedeva chiaramente anche il proprio fanatismo. Quella sua assoluta fiducia nelle parole d'ordine. Bianco o nero, come i sorrisi entusiasti di quegli uomini. Sicuri di essere dalla stessa parte, quella giusta. Quella dell'*Ulster Defence Association*.

"*A brave face! Put on a brave face!*" Gli sembrava di sentire ancora suo padre ripetere quella raccomandazione imperiosa. Un ammonimento con cui gli aveva lasciato un'eredità inestimabile. Andare a testa alta in ogni caso. Indurì il volto, come si attendeva quella piccola platea partecipe e rumorosa. Pietra levigata, nessuna ruga la poteva incrinare, neppure la sottile increspatura del dubbio che lo tormentava. Almeno in quell'illusione non era solo. Così, anche senza Allegra, non lo sarebbe stato nemmeno in futuro. Quelle persone erano lì per lui, per i suoi ideali, per la sua lotta. Non si sentiva un patriota. Ma un inglese con la schiena dritta, sì. Quello era, e quello era rimasto, anche di fronte al tradimento dei politici e degli affaristi.

Leader e ministri, vice e sottovice, burocrati e *civil servants*. Figure di primo piano o solo comprimari. Erano loro ad avere accettato una Brexit a metà, danno economico e danno alla bandiera. Prima o poi avrebbero fatto marcia indietro su tutto, se il popolo non li avesse fermati.

E il popolo, nel suo piccolo, in quel momento era lui, comunque fosse andata in quella notte a Belfast.

Il coro durò un attimo, il tempo sufficiente a scortarlo dentro per l'udienza. Mentre aspettava l'ingresso del giudice, seduto sulla panca dell'aula spoglia, a fianco del suo avvocato, si illuminò lo schermo del cellulare.

"*In trouble again?* Ancora nei guai? Questa volta toccherà a me salire su Buckingham Palace per liberarti." Una faccetta sorridente chiudeva il messaggio di Jonas.

George scacciò la commozione prima che traboccasse in lacrime. Gettò un'occhiata alla balaustra per i giornalisti. Era affollata. Il rapimento in Ulster faceva ancora notizia. Gli parve di intravedere una fulva chioma arruffata. Ma forse era solo immaginazione.

Raccontare la realtà

Mentre questo libro sta per andare in stampa un nuovo terremoto scuote le nostre vite. Le sue onde sismiche si aggiungono oltremanica a quelle degli anni di Brexit e del coronavirus. Gli inglesi si riscoprono legati al resto del continente e alla sua sorte più di quanto i loro attuali governanti abbiano fatto credere.

Ci sono comunque tanti modi di raccontare la realtà, le sue meraviglie e i suoi orrori. Lo faccio da anni come giornalista. E ci sono storie che dalle pieghe delle Breaking News e dei grandi eventi prendono forma autonoma. Dal pulviscolo dei fatti di tutti i giorni si materializzano come i mulinelli delle tempeste di sabbia. Si levano alte, ti accerchiano, ti avvolgono, ti riempiono i polmoni. Se non le racconti rischiano di soffocarti.

Mi è successo anche con *Londra anni venti*.

La fantasia è potente, seduttrice, ma non aleggia sul nulla. Tutti viviamo nel nostro tempo. Non c'è storia disincarnata, senza background di quotidianità. Nemmeno quella di Allegra e George. E allora nei miei romanzi non sento di allontanarmi da quello che sono, da quello che faccio. Anche qui torno alla cronaca, vista e letta con occhi più profondi e tempi più lunghi.

In tempi di Fake News, le storie vere – comunque vengano raccontate – ti raggiungono e non ti mollano più.

Questo libro non sarebbe nato senza l'intuizione di Beatrice Masini e la pazienza di Margherita Trotta. A entrambe va il mio grazie riconoscente.

Glossario

Jeremy Corbyn: Jeremy Corbyn, parlamentare laburista dal 1983 e leader del partito dal 2015 al 2020. Storico esponente dell'ala sinistra del partito, avversario dei centristi come l'ex Premier Tony Blair.

Nigel Farage: Nigel Farage, politico britannico, fondatore e leader dello UKIP (Partito per l'indipendenza del Regno Unito) e poi del Brexit Party. Nei suoi oltre vent'anni a Strasburgo, da eurodeputato ha combattuto per l'uscita del suo Paese dall'Unione europea.

Feniani: la "Fratellanza feniana" fu un movimento irlandese fondato a metà Ottocento per promuovere l'indipendenza dell'isola dal Regno Unito e la creazione di una repubblica con capitale Dublino. Il termine è il risultato di una doppia derivazione: da "Fene", nome che indicava antiche popolazioni dell'Irlanda, e da "Fiann", un semileggendario gruppo di guerrieri irlandesi medievali.

Marce orangiste: commemorazioni annuali delle vittorie del re protestante Guglielmo III d'Orange sul cattolico Giacomo II, durante le guerre di religione nella metà del XVII secolo. In particolare si ricorda la battaglia del fiume Boyne (luglio 1690) che garantì al re inglese il controllo su tutta l'Irlanda. Nel periodo della recente guerra civile furono spesso occasione di scontri tra fazioni paramilitari dei due fronti.

Troubles: nomignolo che indica il periodo di guerra civile in Ulster durato trent'anni e costato la vita a migliaia di persone. Un conflitto politico-religioso. Da una parte la maggioranza protestante unionista filobritannica (i "Lealisti"). Dall'altra la minoranza cattolica nazionalista irlandese, "Repubblicani", perché favorevoli all'unificazione con la Repubblica d'Irlanda. Attentati e scontri continuarono dagli anni sessanta fino all'accordo di pace del 1998.

UDA: acronimo di *Ulster Defence Association*. Fu uno dei più attivi gruppi paramilitari lealisti protestanti. I suoi militanti erano fautori dell'Ulster britannico e legati a Londra. Tramite il braccio armato dell'*Ulster Freedom Fighters* (UFF) furono protagonisti di attentati e omicidi. Loro alleati ma anche rivali furono i paramilitari dell'UVF, *Ulster Volunteer Force*, fondato a metà degli anni sessanta da un ex soldato britannico. Assieme ad altre formazioni minori si dividevano la rappresentanza della lotta armata degli Unionisti. Sul fronte opposto, quello repubblicano filoirlandese, militava l'IRA (*Irish Republican Army*).

Finito di stampare nel mese di aprile 2022 presso
Elcograf S.p.A.
Stabilimento di Cles (TN)

Printed in Italy